C0-AWU-811

Espera a la primavera, Bandini

Narrativas de hoy 1

John Fante
Espera a la primavera, Bandini

Traducción de Antonio-Prometeo Moya

Empúries/Paidós
Barcelona-Buenos Aires-México

Título original:
Wait Until Spring, Bandini

Cubierta: Ferran Cartes

Mariano Cubí, 92, 08021 Barcelona
Primera edición: noviembre de 1988
ISBN: 84-7509-504-6
Depósito legal: B. 41.562 - 1988
Impreso en Hurope, S. A., Recaredo, 2, 08005 Barcelona

Dedico este libro a mi madre, Mary Fante, con amor y devoción; y a mi padre, Nick Fante, con amor y admiración.

PREFACIO

AHORA *que ya soy viejo no puedo evocar este libro sin que su rastro se me pierda en el pasado. A veces, cuando estoy en la cama por la noche, una frase, un párrafo o un personaje de esta obra temprana se apoderan de mí y en un estado semionírico me entretejen el melodioso recuerdo de un antiguo dormitorio de Colorado, o de mi madre, o de mi padre, o de mis hermanos y mi hermana. No creo que lo que escribí hace tanto tiempo me reporte la paz de estas fantasías, pero tampoco tengo ánimo suficiente para mirar atrás, para abrir esta novela primeriza y leerla otra vez. Tengo miedo, no soporto que mi propia obra me desnude. Estoy seguro de que nunca volveré a leerla. También estoy seguro de otra cosa: todas las personas de mi vida literaria, todos mis personajes se encuentran en esta obra de juventud. En ella no queda ya nada de mí mismo, sólo un recuerdo de antiguos dormitorios y el rumor de las zapatillas de mi madre al dirigirse a la cocina.*

JOHN FANTE

1

AVANZABA dando puntapiés a la espesa capa de nieve. Hombre asqueado a la vista. Se llamaba Svevo Bandini y vivía en aquella misma calle, tres manzanas más abajo. Tenía frío y agujeros en los zapatos. Por la mañana había tapado los agujeros por dentro con el cartón de una caja de macarrones. Los macarrones no los había pagado. Se había acordado mientras metía en los zapatos los trozos de cartón.

Detestaba la nieve. Era albañil y la nieve congelaba la argamasa que ponía entre los ladrillos. Se dirigía a su casa, pero no sabía por qué. Cuando era pequeño y vivía en Italia, en los Abruzos, tampoco le gustaba la nieve. No había sol, no había trabajo. Ahora vivía en los Estados Unidos, en Colorado, en un lugar llamado Rocklin. Acababa de salir de los Billares Imperial. En Italia también había montañas, por supuesto, iguales que los montes blancos que se alzaban a unos kilómetros hacia occidente. Los montes eran gigantescas túnicas blancas que caían a plomo hacia la tierra. Veinte años antes, cuando tenía veinte años de edad, había pasado hambre durante toda una semana entre los pliegues de aquella túnica despiadada y blanca. Había estado construyendo una chimenea en un refugio de montaña. Era peligroso subir allí en invierno. Había dicho a la porra el peligro, porque sólo tenía veinte años entonces, y una novia en Rocklin, y necesitaba dinero. Pero el techo del refugio había cedido bajo la nieve aplastante.

No había momento en que aquella nieve hermosa no le

torturase. No comprendía aún por qué no había emigrado a California. Pero permanecía en Colorado, entre las nieves profundas, porque ya era demasiado tarde. La nieve blanca y hermosa era como la mujer blanca y hermosa de Svevo Bandini, muy blanca, muy fértil, que yacía en la cama blanca de una casa situada calle arriba. Walnut Street número 456, Rocklin, Colorado.

El aire frío le humedeció los ojos. Eran castaños, eran dulces, eran ojos de mujer. Le había quitado los ojos a su madre al nacer, ya que después del nacimiento de Svevo Bandini, la madre no había sido ya la misma, achacosa siempre, siempre con expresión de enferma después del parto, hasta que murió, y a Svevo le tocó tener ojos castaños y dulces.

Setenta kilos pesaba Svevo Bandini y tenía un hijo llamado Arturo que disfrutaba acariciándole los hombros musculosos y palpándole las culebras que le corrían por dentro. Era hombre apuesto Svevo Bandini, todo músculo, y su mujer, que se llamaba María, en cuanto pensaba en los músculos de los riñones del marido, el cuerpo y el espíritu se le derretían cual nieve de primavera. Era muy blanca esta María y mirarla era verla a través de una finísima capa de aceite de oliva.

Dio cane. Dio cane. Quiere decir que Dios es un perro y Svevo se lo decía a la nieve. ¿Por qué habría perdido diez dólares aquella noche en una partida de póquer en los Billares Imperial? Era muy pobre y tenía tres hijos, y no había pagado los macarrones, ni la casa en que estaban los tres hijos y los macarrones. Dios es un perro.

Svevo Bandini tenía una esposa que no decía nunca: dame dinero para dar de comer a los niños, pero tenía una esposa de ojos grandes y negros que el amor encendía hasta el empalago, unos ojos muy suyos que le escrutaban furtivamente la boca, las orejas, el estómago y los bolsillos. La astucia de aquellos ojos era triste, pues siempre sabían cuándo le había ido bien en los Billares Imperial. ¡Vaya ojos para una esposa! Veían todo lo que él era y esperaba ser, pero su alma jamás

Lo cual era extraño, porque María Bandini era una mujer para quien todos eran almas, tanto los vivos como los muertos. María sabía lo que era un alma. Un alma era algo inmortal que ella conocía. Un alma era algo inmortal sobre lo que no discutía. Un alma era algo inmortal. Bueno, fuera lo que fuese, el alma era inmortal.

Poseía un rosario blanco, tan blanco que si se cayera en la nieve no se encontraría nunca, y María rezaba por el alma de Svevo Bandini y de sus hijos. Y como le faltaba tiempo, esperaba que en algún lugar del mundo, alguien, una monja de algún silencioso convento, alguien, cualquiera, tuviese tiempo para rezar por el alma de María Bandini.

A Svevo le aguardaba un lecho blanco en que su mujer yacía acostada, cálida e impaciente, y él daba puntapiés a la nieve y pensaba en algo que alguna vez fabricaría. Sólo una idea tenía en la cabeza: un aparato quitanieves. Había construido una maqueta con cajas de puros. Se le había metido en la cabeza. De pronto se estremeció como hombre al que un pedazo de metal frío toca el costado y recordó las veces incontables que había yacido en el lecho cálido con María, y que la crucecita fría del rosario femenino le rozaba la carne en las noches invernales como una víbora riente y fría, y que él se retiraba con premura a un rincón del lecho más frío aún, y pensó entonces en el dormitorio, en la casa que no había pagado, en la esposa blanca e incansablemente deseosa de pasión, y ya no pudo resistirlo, y llevado de la furia se hundió en la nieve más abundante de la calzada para desfogarse en ella. *Dio cane. Dio cane.*

Tenía un hijo que se llamaba Arturo y Arturo tenía catorce años y un trineo. Al entrar en el patio de la casa que no había pagado, sus pies corrieron de pronto hacia la copa de los árboles, había caído de espaldas y el trineo de Arturo seguía en movimiento, deslizándose hacia un lilo de flores vencidas por el peso de la nieve. *Dio cane!* Ya le había dicho al chico, a aquel renacuajo cabrón, que no dejase el trineo en la entrada. Svevo Bandini sentía que el frío de la nieve le perforaba las manos como un enjambre de hormigas rabiosas. Se puso en pie, alzó los ojos al cielo, agitó el puño hacia Dios y a punto estuvo de morirse de un ataque de cólera. Arturo, Arturo. ¡Renacuajo cabrón! Sacó el trineo de debajo de las lilas y con maldad deliberada le arrancó las guías. Sólo cuando estuvo hecho el destrozo recordó que el trineo le había costado siete dólares con cincuenta. Se limpió la nieve de la ropa, notando un calor extraño en los tobillos, por donde la nieve se le había colado en los zapatos. Siete dólares con cincuenta centavos hechos trizas. *Diavolo!* Que el chico se comprara otro trineo. De todos modos prefería uno nuevo.

La casa no se había pagado. Era su enemiga aquella casa. Tenía voz y le hablaba siempre, igual que un loro, cotorreándole lo mismo sin parar. Cada vez que sus pies despertaban crujidos en el suelo del soportal, la casa le decía con insolencia: no eres mi dueño, Svevo Bandini, y nunca seré tuya. Cada vez que rozaba el pomo de la puerta principal era lo mismo. Durante quince años la casa le había importunado y exasperado con su cretina independencia. Había ocasiones en que la quería dinamitar y reducir a escombros. Cierta vez había sido muy fuerte la provocación, la provocación de aquella casa que, semejante a una mujer, le incitaba a poseerla. Pero al cabo de trece años había acabado por cansarse y renunciar y la arrogancia de la casa había aumentado. A Svevo Bandini ya no le importaba.

El banquero propietario de la casa era uno de sus peores enemigos. El recuerdo de la cara del banquero le aceleró el corazón con ansia abrasadora de violencia. Helmer, el banquero. La hez de la tierra. De vez en cuando había tenido que ir a verle para decirle que no tenía dinero suficiente para alimentar a la familia. Helmer, pelo gris pulcramente peinado con raya, manos blandas, ojos de banquero que parecían ostras cuando Svevo Bandini le decía que no tenía dinero para pagarle el plazo de la casa. Había tenido que hacerlo muchas veces y las manos blandas de Helmer le enervaban. No podía hablar con un hombre así. Detestaba a Helmer. Le habría gustado romperle el cuello a Helmer, arrancarle el corazón y pisoteárselo con los dos pies. Pensaba en Helmer y murmuraba: ya te cogeré, ¡ya te cogeré! No era su casa y no tenía más que rozar el pomo de la puerta para acordarse de que no era suya.

Se llamaba María y la tiniebla era luz ante sus ojos negros. Anduvo él de puntillas hasta el rincón y la silla que allí había, al lado de la ventana con la persiana verde echada. Al tomar asiento le crujieron ambas rodillas. Para María era como el tintineo de dos campanillas y se le ocurrió que era una locura que una esposa amara tanto a un marido. Hacía mucho frío en la habitación. Por entre los labios jadeantes le brotaban chorros cónicos de vaho. Gruñó mientras forcejeaba como un pugilista con los cordones de los zapatos. Siempre los dichosos cordones. *Diavolo!* ¿Se moriría de viejo sin haber aprendido a atarse los cordones de los zapatos como los demás hombres?

—¿Svevo?

—Sí.

—No los rompas, Svevo. Enciende la luz y yo te los desataré. No te enfades, no vayas a romperlos.

¡Dios del cielo! ¡Santísima Virgen María! ¿Era aquello una mujer? ¿Enfadarse? ¿Por qué había de enfadarse? ¡La madre que...! ¡Con qué ganas habría roto la ventana de un puñetazo! Arañó con las uñas el nudo de los cordones. ¡Cordones, cordones! ¿Por qué existirían los cordones de zapatos? Ay, ay, ay.

—Svevo.

—¿Qué?

—Ya lo hago yo. Enciende la luz.

Cuando el frío ha agarrotado los dedos, el nudo de un cordón es tan terco como el alambre espinoso. Arrimó brazo y hombro para desahogar la impaciencia. El cordón se rompió con chasquido seco y a punto estuvo Svevo Bandini de caerse de la silla. Suspiró, suspiró la esposa.

—Ay, Svevo, otra vez los has roto.

—Es igual —dijo él—. ¿O querías que me metiera en la cama con los zapatos puestos?

Dormía desnudo, despreciaba la ropa interior, aunque una vez al año, con las primeras nieves, en la silla del rincón le esperaban siempre los calzoncillos largos que le habían preparado. Cierta vez se había reído de aquella salvaguardia: fue el año en que casi había muerto de gripe y pulmonía; fue el invierno en que se había levantado de un lecho de moribundo, delirando a causa de la fiebre, asqueado de las pastillas y los jarabes, se había tambaleado hasta la despensa, se había metido hasta el galillo media docena de cabezas de ajos y había vuelto a la cama para sudar hasta la bilis. María creyó que lo habían curado sus oraciones y a partir de entonces el ajo fue la religión curativa de Bandini, pero María sostenía que el ajo procedía de Dios, argumento demasiado absurdo para que Svevo Bandini discutiera.

Era un hombre y no soportaba verse con calzoncillos largos. Ella era María y cada mancha de la ropa interior del marido, cada botón y cada hebra, cada olor y cada roce hacía que los pezones le doliesen con un júbilo que brotaba del centro de la tierra. Llevaban casados quince años, y él tenía lengua, sabía moverla, y con frecuencia hablaba de cuanto se le ocurría, pero muy pocas veces le había dicho te quiero. Ella era su mujer, y hablaba en contadísimas ocasiones, pero a él le aburría que sólo supiera decir te quiero.

Se acercó al lecho, metió las manos bajo las mantas y buscó a tientas el rosario errabundo. Acto seguido se introdujo entre las sábanas y se abrazó a ella con desesperación, enroscando los brazos alrededor de los de ella, atenazando las piernas de la mujer con las suyas. No era pasión, sólo el frío de una noche de invierno y ella era una mujercilla-estufa que desde el principio le había atraído por su calidez y su melancolía. Quince inviernos, noche tras noche, y un cuerpo cálido de mujer que acogía unos pies como témpanos, unas manos y unos brazos como témpanos; pensó él en aquella clase de amor y lanzó un suspiro.

Y hacía nada, los Billares Imperial se habían quedado con los diez dólares que le quedaban. Si aquella mujer tuviese por lo menos algún defecto que compensara un tanto sus debilidades... Fíjate en Teresa de Renzo. Se habría casado con Teresa de Renzo, pero era una mujer extravagante, hablaba demasiado, la boca le olía a perro muerto y, hembra fuerte y musculosa, fingía derretirse además entre sus brazos. ¡Casi nada! ¡Y era más alta que él! El caso es que con una esposa como Teresa habría perdido a gusto diez dólares en los Billares Imperial en una partida de póquer. Habría pensado en su aliento, en aquel pico que no paraba, y habría dado gracias a Dios por presentársele la ocasión de tirar un dinero que había ganado con el sudor de su frente. Pero con María no.

—Arturo ha roto la ventana de la cocina —dijo ésta.

—¿Que la ha roto? ¿Cómo?

—Tiró a Federico de cabeza contra ella.

—El muy hijo de puta.

—Fue sin intención. Sólo estaba jugando.

—¿Y qué hiciste tú? Nada, imagino.

—Le puse yodo a Federico. Se hizo un corte pequeño en la cabeza. Pero nada serio.

—¡Nada serio! ¿Leches es eso, nada serio? ¿Qué le hiciste a Arturo?

—Estaba furioso. Quería ir al cine.

—Y fue, como si lo viera.

—A los chicos les gusta.

—El muy requetecabronazo.

—¿Por qué hablas así de él, Svevo? Es tu hijo.

—Tú lo has echado a perder. Has echado a perder a todos.

—Es igual que tú. Tú también eras malo de pequeño.

—¿Que yo...? Yo no estampé nunca a mi hermano contra una ventana.

—Porque no tuviste hermanos. Pero a tu padre lo tiraste escaleras abajo y le rompiste un brazo.

—¿Qué culpa tenía yo de que mi padre...? Bah, dejémoslo.

Se le acercó serpeando y hundió la cara entre las trenzas de la mujer. Desde el nacimiento de August, el hijo mediano, el oído derecho de su mujer despedía cierto olor a cloroformo. Se le había pegado en el hospital y hacía ya diez años que lo tenía encima: ¿o eran imaginaciones suyas? Durante años se había peleado por ello con su mujer, pero ella negaba que el oído derecho le oliera a cloroformo. Hasta los chicos habían acercado la nariz para ver si era cierto, pero no habían olido nada. Sin embargo, el olor estaba allí, siempre allí, igual que aquella noche en la sala del hospital, cuando se había inclinado para besarla después de superar aquel mal trago, tan a las puertas de la muerte y sin embargo viva.

—¿Y qué pasa si tiré a mi padre escaleras abajo? ¿Qué tiene que ver con lo otro?

—¿Te echaste a perder por eso? ¿Eh? ¿Te echaste a perder?

—¿Cómo quieres que lo sepa?

—Pues no señor, no te echaste a perder —respondió María con firmeza.

Pero ¿qué sarta de bobadas estaba diciendo? ¡Pues claro que era un perdido! Teresa de Renzo le había dicho siempre que era un malvado, un egoísta y un perdido. A él le divertía. Y la chica aquella... cómo se llamaba... Carmela, Carmela Ricci, la amiga de Rocco Saccone, ella pensaba que era un demonio, y era una chica lista, había estudiado, en la Universidad de Colorado, y tenía título, y le había dicho que era un barrabás irresistible, cruel, peligroso, una amenaza para las jóvenes. Pero María... bueno, María pensaba que él era un ángel, más bueno que el pan. Bah. ¿Qué sabía ella? No tenía educación ni estudios, ni siquiera había terminado el bachillerato.

Ni siquiera el bachillerato. Se llamaba María Bandini, pero antes de casarse con él se llamaba María Toscana y no terminó el bachillerato. En su familia eran dos hermanas y un hermano y ella era la menor. Tony y Teresa, los dos habían terminado el bachillerato. ¿Pero María? La maldición de la familia había caído sobre ella, la más tonta de los Toscana, la chica que quería vivir como le gustase y que no había terminado el bachillerato. Toscana ignorante. Sólo ella carecía de certificado de estudios secundarios; casi lo había conseguido después de tres años y medio; pero no le habían dado ningún título. Tony y Teresa lo tenían, y Carmela Ricci, la amiga de Rocco, que hasta había estudiado en la Universidad de Colorado. Dios estaba en contra de él. ¿Por qué de todas había ido a enamorarse de la mujer que tenía al lado, de aquella mujer que ni siquiera tenía un título de bachiller?

—Pronto será Navidad, Svevo —dijo ella—. Reza una oración. Pide a Dios que sean unas buenas Navidades.

Se llamaba María y siempre le contaba cosas que él sabía ya. ¿Es que hacía falta que le dijeran que la Navidad estaba al caer? Y nada menos que el cinco de diciembre por la noche. ¿Es que hay necesidad de que cuando un hombre se va a dormir con su mujer el jueves por la noche le diga ella que el día siguiente será viernes? Y aquel Arturo... ¿por qué le habría tocado en suerte un hijo que jugaba con trineos? *Ah, povera America!* Y tenía que rezar porque fuesen unas buenas Navidades. Bah.

—¿No tienes frío, Svevo?

Ya empezaba, siempre queriendo saber si tenía frío o no tenía frío. Levantaba poco más de metro y medio del suelo y él no sabía nunca si estaba dormida o despierta, así era de callada. Un fantasma, eso es lo que era, siempre contenta en su breve mitad de la cama, rezando el rosario y rogando por una feliz Navidad. ¿No era lógico que no hubiese pagado el plazo de la casa, de aquel manicomio habitado por una esposa que tenía metida la religión hasta el tuétano? Lo que un hombre necesitaba era una mujer que le pinchase, que le estimulara, que le hiciera trabajar de firme. ¿Pero María? *Ah, povera America!*

La mujer se levantó por su lado del lecho, sus pies, sin equivocarse en medio de la oscuridad, encontraron las zapatillas que estaban en la alfombra, y él supo que iba a ir al lavabo primero, y a ver cómo estaban los chicos después, inspección última antes de volver a la cama para no volver a levantarse durante el resto de la noche. Una esposa que siempre salía de la cama para echar un vistazo a sus tres hijos. ¡Qué asco de vida! *Io sono fregato!*

¿Cómo iba a dormir un hombre en aquella casa, siempre hecha un infierno y con su mujer levantándose siempre de la cama sin decir ni pío? ¡A tomar por saco los Billares Imperial! Un full de reinas-doses y había perdido. *Madonna!* ¡Y encima tenía que rezar por una Navidad alegre! ¡Una suerte de perros y encima ponte a hablar con Dios! *Jesu Christi,* si era verdad que Dios existía, que hablase de una maldita vez.

Volvió a su lado tan silenciosa como se había ido.

—Federico se ha resfriado.

También él estaba resfriado; en el alma. Su hijo Federico soltaba unas lagrimitas y María le frotaba el pecho con mentol y se pasaba media noche hablándole de ello, pero Svevo Bandini tenía que padecer solo, y no con dolores corporales, sino peor, con dolor en el alma. ¿Había un dolor más grande que el que se sentía en el alma? ¿Le ayudaba María? ¿Le preguntaba alguna vez si se resentía de los momentos difíciles? ¿Le había dicho alguna vez Svevo, cariño, cómo tienes el alma estos días? ¿Estás satisfecho, Svevo? ¿Encontrarás trabajo este invierno, Svevo? *Dio Maledetto!* ¡Y quería una Navidad feliz! ¿Cómo se va a pasar una Navidad feliz cuando teniendo mujer y tres hijos se sigue estando solo? Agujeros en los zapatos, mala suerte con las cartas, sin empleo, el cuello roto por culpa de un trineo de mierda... y encima una Navidad feliz. ¿Es que era millonario? Lo habría sido si se hubiera casado con la mujer que le convenía. Bueno, para el carro: basta ya de decir estupideces.

Se llamaba María y él advirtió que el calor del lecho disminuía a sus espaldas, y tuvo que sonreírse porque sabía que ella se le aproximaba, y los labios se le entreabrieron para acogerlos: tres dedos de una mano pequeña que le acariciaban los labios, que lo transportaban a un país cálido en el interior del sol, y sintió en la nariz el aliento ligero de unos labios fruncidos por la zalamería.

—*Cara sposa* —dijo—. Mi mujercita.

Se le habían humedecido los labios a María, que los frotó contra los ojos del marido. Éste rió con suavidad.

—Voy a matarte —le murmuró.

Ella se echó a reír, pero se envaró de pronto en actitud de quien escucha, de quien escucha a ver si se han despertado los niños en la habitación contigua.

—*Che sara, sara* —dijo—. Sea lo que Dios quiera.

Se llamaba María y era muy sufrida, le esperaba, le acariciaba la musculatura de los riñones, muy sufrida, le besaba en todas partes, y a él le devoraba entonces la llamarada que le gustaba tanto y ella se echaba de espaldas.

—Ay, Svevo. ¡Es maravilloso!

La amó con violencia delicada, muy orgulloso de sí, sin dejar de repetirse: no es tan idiota la María, sabe lo que es bueno. La burbuja gigantesca que perseguían camino del sol reventó entre ambos y el hombre gruñó con alivio jubiloso, gruñó como hombre contento de haber podido olvidar muchísimas cosas durante unos instantes, y María, silenciosa en su breve mitad de la cama, se quedó escuchando los latidos de su propio corazón y se preguntó cuánto habría perdido Svevo en los Billares Imperial. Mucho, sin duda; acaso diez dólares, porque María no tendría título de bachiller, pero adivinaba la desdicha de un hombre por el alcance de su pasión.

—Svevo —le murmuró.

Pero él dormía ya como un tronco.

Bandini, enemigo de la nieve. Se levantó a las cinco de aquella misma madrugada, saltó de la cama igual que un cohete, haciéndole muecas al frío, burlándose de él: bah, Colorado, en el quinto pino de la creación, siempre con un frío que pela, mal sitio para un albañil italiano; vaya vida que le había tocado vivir. Anduvo con los pies de canto hacia la silla, cogió los pantalones e introdujo las extremidades en las perneras, pensando que perdía doce dólares al día, el jornal base acordado por el sindicato, ocho horas de trabajo duro, ¡y todo por culpa de aquello! Tiró del cordón de la persiana; ésta subió de golpe crepitando como una ametralladora, y la mañana blanca y pura entró a raudales en el dormitorio, envolviéndole de luz. Gruñó a la mañana. *Sporca chone,* le dijo: so guarra. *Sporcaccione ubriaca*: guarra borracha.

María dormía con el acecho amodorrado de una gata y la persiana la despertó con viveza, los ojos desentumecidos por el pánico.

—Svevo. Es demasiado temprano.

—Sigue durmiendo. Nadie te dice nada. Sigue durmiendo.

—¿Qué hora es?

—Hora de que los hombres se levanten. Hora de que las mujeres sigan durmiendo. Así que a callar.

No se había acostumbrado nunca a levantarse a hora tan temprana. Las siete era su hora de levantarse, salvo cuando estaba en el hospital, y una vez se había quedado en cama hasta las nueve y le había entrado dolor de cabeza, pero aquel hombre con quien se había casado salía de la cama a las cinco en invierno y a las seis en verano. Conocía sus angustias en el presidio blanco del invierno; sabía que cuando se levantase dos horas después él habría limpiado ya la nieve de todos los senderos del patio y de sus alrededores en un radio de media manzana, bajo las cuerdas de tender la ropa, hasta el extremo del callejón, amontonándola, removiéndola, perforándola con inquina con la pala.

Así fue. Cuando se levantó e introdujo los pies en las zapatillas, los dedos reventados como flores secas, miró por la ventana de la cocina y vio que estaba allí, metido en el callejón, del otro lado de la valla. Un gigante, un gigante encogido y oculto tras la valla de un metro con ochenta, la pala vista y no vista, subiendo y bajando, devolviendo al cielo sus borlas de nieve.

Pero no había encendido la estufa de la cocina. Desde luego que no, jamás encendía la estufa de la cocina. ¿Qué era él para tener que encender el fuego, una mujer? Aunque a veces sí. En cierta ocasión se los había llevado a las montañas para regalarse con una fritada de carne y solamente él había contado con la autoridad suficiente para encender el fuego. ¡Pero en una cocina! ¿Qué era él, una mujer?

Hacía mucho frío aquella mañana, mucho frío. A María le castañeteaban los dientes, las mandíbulas se le desbocaban. El linóleo gris oscuro habría podido pasar por una capa de hielo, la misma estufa era una barra de hielo. ¡Valiente estufa!, déspota, incivilizada y con malas pulgas. Siempre la piropeaba, la mimaba, la tranquilizaba, estufa semejante a un oso negro que sufriese brotes de rebeldía, que la desafiara para ver si era capaz de encenderla; estufa quisquillosa que, cuando se calentaba y emitía un calorcillo suave, perdía los estribos de repente, se ponía al rojo blanco y amenazaba con destruir la casa entera. Sólo María sabía tratar aquel cacho negro de hierro mohíno y lo hacía alimentándola con una astilla tras otra, acariciando las llamas tímidas, poniendo un tronco a continuación, luego otro, y otro, hasta que ronroneaba gracias a sus atenciones, el hierro se caldeaba, el vientre se le hinchaba, el calor la hacía vibrar, hasta que gruñía y gemía de placer, igual que un idiota. Ella era María y la estufa sólo la quería a ella. Si Arturo o August le introducían un pedazo de carbón por la boca ávida, se ponía furiosa ella sola, ennegrecía y agrietaba la pintura de las paredes, adquiría un color amarillo que daba miedo, un fragmento de infierno que protestaba y exigía la presencia de María, que llegaba con el ceño fruncido, resuelta, con un trapo en la mano con el que la toqueteaba aquí y allá, le ajustaba las válvulas con experiencia y le revolvía las entrañas hasta que recuperaba la estúpida normalidad. María, de manos no mayores que rosas marchitas, pero aquel demonio negro era su esclavo y ella le profesaba un cariño sincero. La mantenía viva, chisporroteando con perversidad, con la niquelada chapa de la marca sonriéndole con malicia, igual que una boca demasiado orgullosa de su hermosa dentadura.

Cuando al cabo brotaron las llamas y la estufa le dio los buenos días con un gruñido, María le puso encima el agua para el café y volvió a la ventana. Svevo estaba aún en el patio trasero, inclinado sobre la pala, jadeando. Las gallinas habían salido del cobertizo y puéstose a cloquear nada más verle, nada más ver a aquel hombre capaz de levantar del suelo el blanco cielo desplomado y arrojarlo por encima de la valla. Pero desde la ventana advirtió que las gallinas no se atrevían a acercársele. Ella sabía por qué. Eran sus gallinas; comían de su mano, pero a él lo detestaban; lo recordaban porque algún que otro sábado por la noche se presentaba entre ellas con ánimo de matar. Las cosas como eran; le estaban agradecidas porque había quitado la nieve y ellas podrían escarbar la tierra, apreciaban el detalle, pero jamás confiarían en él como en la mujer que se les acercaba con las manos pequeñas llenas de maíz. Y también con espaguetis, en una fuente; la besaban con el pico cada vez que les llevaba espaguetis; pero ojo con el hombre.

Se llamaban Arturo, August y Federico. Se habían despertado ya, castaños los ojos de los tres y bien remojados en el río negro del sueño. Yacían en una misma cama, Arturo con doce años, August con diez y Federico con ocho. Críos italianos, entreteniéndose con picardías, los tres en la misma cama, emitiendo una risa obscena, precipitada, característica. Arturo sabía muchísimo. En aquellos instantes les contaba lo que sabía, y las palabras le salían de la boca envueltas en un vaho caliente y blanco en el frío de la estancia. Sabía muchísimo. Había visto muchísimo. Sabía muchísimo. No sabéis lo que he visto. Estaba sentada en los escalones del soportal. Estaba casi encima de ella. Se lo vi todo.

Federico, de ocho años.

—¿Qué le viste, Arturo?

—Cierra el pico, enano. No hablamos contigo.

—No contaré nada.

—Venga, cierra el pico. Eres demasiado pequeño.

—Entonces lo contaré.

Unieron sus fuerzas y lo echaron de la cama. Cayó al suelo entre gimoteos. El aire frío le despertó una rabia repentina y le perforó con diez mil agujas. Chilló, quiso meterse otra vez bajo las mantas, pero eran más fuertes que él, rodeó la cama corriendo y entró en el cuarto de la madre. Ésta se ponía las medias de algodón. El pequeño chillaba con aflicción.

—¡Me han echado a patadas! ¡Arturo! ¡Y August!

—¡Chivato! —gritaron en la habitación contigua.

A ella el Federico le parecía hermosísimo; su piel le parecía hermosísima. Lo cogió en brazos y le frotó la espalda, le pellizcó aquella preciosidad de culito, muy fuerte, para hacerle entrar en calor y él pensó en el olor de su madre, se preguntó qué sería, se dijo que sentaba muy bien por la mañana.

—Acuéstate en la cama de mamá —le dijo ella.

El pequeño se metió en el lecho con presteza y la madre lo envolvió en las mantas, lo zarandeó con alegría, y él contentísimo de estar en el lado materno de la cama, con la cabeza en el hueco que había dejado el pelo de mamá, porque la almohada de papá no le gustaba; olía agrio y fuerte, pero la de mamá estaba perfumada y lo envolvía en una ola de calidez.

—Sé otra cosa —dijo Arturo—. Pero no pienso contártela.

August tenía diez años; no sabía mucho. Por supuesto que sabía más que el mierda de Federico, pero ni la mitad que el hermano que tenía junto a sí, Arturo, que sabía muchísimo de mujeres y esas cosas.

—¿Qué me das si te lo cuento? —le preguntó Arturo.

—Te daré una chapa.

—¡Una chapa! ¡Vaya mierda! ¿Y para qué quiero yo una chapa en invierno?

—Te la daré en verano.

—Ni hablar. ¿Qué me das ahora?

—Todo lo que tengo.

—Eso está mejor. ¿Qué tienes?

—Nada.

—Muy bien. Entonces no te contaré nada.

—No tienes nada que contar.

—¡Un huevo que no!

—Cuéntamelo gratis.

—De eso nada, monada.

—Mientes, por eso no me lo cuentas. Eres un mentiroso.

—¿Mentiroso yo?

—Serás un mentiroso si no me lo cuentas. ¡Mentiroso!

Se llamaba Arturo y tenía catorce años. Era su padre en miniatura, pero sin bigote. El labio superior se le fruncía con idéntica crueldad bondadosa. Las pecas le inundaban la cara como hormigas en un pastel. Era el mayor, se creía un machote y no iba a consentir que el baboso de su hermano le llamara embustero sin recibir su merecido. Cinco segundos más tarde, August se retorcía de dolor. Arturo estaba bajo las mantas a los pies de su hermano.

—¿Te hago una llave en el dedo gordo?

—¡Ay, ay! ¡Suéltame!

—¿Quién es el mentiroso?

—¡Nadie!

La madre se llamaba María, pero ellos la llamaban mamá; hela ahora junto a ellos, asustada aún de las responsabilidades maternas, aún insegura al respecto. Fíjate en August; era sencillo ser su madre. Tenía el pelo rubio y cien veces al día, sin saber cómo ni por qué, pensaba en ello, en que su hijo mediano era rubio. Lo besaba en los momentos más inesperados, se inclinaba y le olía el pelo rubio, le pegaba los labios a las mejillas y los ojos. Era un buen chico, de verdad que lo era. Claro que había sufrido mucho por su culpa. Riñones flojos, había dicho el doctor Hewson, pero ya había pasado aquello y el colchón ya no amanecía húmedo. August podía crecer ya y ser un hombre de bien que nunca se mojaba en la cama. Cien noches había pasado de rodillas junto a él mientras el pequeño dormía, las cuentas del rosario tintineando en la oscuridad mientras suplicaba al Señor: ten piedad, Dios bendito, y no permitas que mi hijo vuelva a mojar la cama. Cien, doscientas noches. El médico había dicho que riñones flojos; ella había dicho que la voluntad de Dios; y Svevo Bandini había dicho qué jodida falta de disciplina y fue partidario de que August durmiese en el patio trasero, con pelo rubio o sin pelo rubio. Se había sugerido toda suerte de remedios. El médico no paraba de recetarle medicamentos. Svevo era partidario del jarabe de palo, pero ella se las había apañado siempre para burlar sus intenciones; y la madre de la madre, Donna Toscana, había insinuado que el pequeño se bebiera la propia orina. Pero ella se llamaba María, lo mismo que la madre del Salvador, y había hablado con esta otra María tras recorrer kilómetros y kilómetros de rosario. Bueno, se había acabado, ¿no? Cuando le deslizó la mano debajo a primera hora de la mañana, ¿no estaba seco y caliente? ¿Y por qué? María sabía el porqué. Nadie más podía explicarlo. Bandini había dicho ya era hora, joder; el médico había dicho que lo habían curado las pastillas y Donna Toscana dijo que se habría acabado hacía mucho de haber seguido sus instrucciones. El mismo August estaba sorprendido y complacido cuando al despertar por la mañana se notaba seco y limpio. Recordaba las noches en que despertaba y veía a su madre de rodillas junto a él, la cara pegada a la suya, las cuentas tintineando, el aliento materno en su nariz y el murmullo de frases cortas, Dios te salve María, Dios te salve María, que le resbalaban por la nariz y los ojos, hasta que, preso entre las dos mujeres, experimentó una melancolía irreal, un desamparo que le conmovió y le hizo tomar la resolución de contentar a ambas. Y ya no volvió a mearse en la cama.

Era fácil ser la madre de August. Le acariciaba el pelo rubio siempre que quería porque el muchacho había heredado el elemento milagroso y misterioso de ella. Había hecho mucho por él la María. Lo había hecho crecer y desarrollarse. Había hecho que se sintiera todo un mozo y que Arturo dejara de burlarse y de ofenderle a causa de sus riñones flojos. Cuando se le acercaba ella al lecho todas las noches con paso susurrante, nada más sentir él que los dedos cariñosos le acariciaban el pelo, volvía a recordar que gracias a ella y a otra María había dejado de ser un mariquita y se había convertido en un hombre. Era comprensible que ella oliese tan bien. Y María no olvidaba jamás aquel pelo rubio prodigioso. De dónde le venía sólo lo sabía Dios, y estaba muy orgullosa de él.

Desayuno para tres muchachos y un hombre. Se llamaba Arturo, pero no le gustaba y quería llamarse John. Se apellidaba Bandini, pero quería que fuese Jones. Su padre y su madre eran italianos, pero él quería ser norteamericano. Su padre era albañil, pero él quería ser *pitcher* de los Cubs de Chicago. Vivían en Rocklin, un pueblo de Colorado de diez mil habitantes, pero él quería vivir en Denver, que se encontraba a cincuenta kilómetros. Las pecas le cubrían el rostro, pero él lo quería limpio y despejado. Iba a una escuela católica, pero él quería ir a una escuela nacional. Tenía una novia que se llamaba Rosa, pero ella le tenía inquina. Era monaguillo, pero también un demonio que detestaba a los monaguillos. Quería ser un buen chico, pero temía ser un buen chico porque temía que los amigos le llamasen buen chico. Se llamaba Arturo y quería a su padre, pero vivía con el temor de que llegase el día en que pudiese darle una paliza a su padre. Veneraba a su padre, pero su madre le parecía una cobardica y una imbécil.

¿Por qué no era su madre como otras madres? Pero así era y todos los días lo comprobaba. La madre de Jack Hawley le excitaba: le daba rosquillas con tal gracia que el corazón se le ponía tierno. La madre de Jim Toland tenía unas piernas dignas de admirarse. La madre de Carl Molla nunca llevaba nada debajo del vestido de guinga; cuando barría el suelo de la cocina de su casa, él se quedaba en el soportal trasero para contemplar extasiado los movimientos de la señora Molla, devorando con los ojos las oscilaciones de sus caderas. Tenía doce años entonces y el descubrimiento de que su madre no le excitaba hizo que la despreciase en secreto. Siempre vigilaba a su madre por el rabillo del ojo. Amaba a su madre, pero la odiaba.

¿Por qué su madre se dejaba tiranizar por Bandini? ¿Por qué le tenía miedo? Cuando estaban en la cama y él permanecía despierto, sudando de furia, ¿por qué dejaba su madre que Bandini le hiciera aquello? Cuando salía ella del lavabo y entraba en el cuarto de los chicos, ¿por qué sonreía en la oscuridad? No le podía ver la sonrisa, pero se la adivinaba en la cara, alegría de la noche cuya ternura realzaban la oscuridad y las luminarias ocultas que le aureolaban el rostro. En aquellos momentos odiaba a los dos, pero el odio que sentía por ella era mayor. Le habría gustado escupirle y mucho después de que la madre hubiese vuelto a la cama, el odio seguía escrito en sus facciones y los músculos de las mejillas le dolían por su causa.

El desayuno estaba listo. Oyó a su padre que pedía el café. ¿Por qué su padre vociferaba continuamente? ¿No sabía hablar en voz baja? Por culpa de aquellos gritos, todos los vecinos sabían lo que ocurría en la casa. Los Morey vivían al lado mismo: pues no se les oía ni estornudar, nunca

nunca; gente silenciosa y tranquila los norteamericanos. Pero a su padre no le bastaba con ser italiano, tenía que ser un italiano escandaloso.

—Arturo —exclamó la madre—. A desayunar.

¡Como si no supiera que el desayuno estaba listo! ¡Como si todo Colorado no se hubiese enterado ya de que los Bandini estaban desayunando!

Detestaba el agua y el jabón y no alcanzaba a comprender por qué había que lavarse la cara todas las mañanas. Odiaba el cuarto de baño porque no había bañera. Odiaba los cepillos de dientes. Odiaba el dentífrico que compraba su madre. Odiaba el peine de la familia, engorrinado siempre con la argamasa del pelo de su padre, y aborrecía su propio pelo porque siempre se le despeinaba. Pero sobre todo detestaba su cara manchada de pecas y que parecía una alfombra sobre la que hubiesen desparramado diez mil peniques cobrizos. Lo único que le gustaba del cuarto de baño era el madero suelto del rincón. Debajo escondía ejemplares de *Scarlet Crime* y *Terror Tales*.

—¡Arturo! ¡Que se te enfrían los huevos!

Huevos. Dios del universo, cuánto aborrecía los huevos.

Se habían enfriado, bueno, ¿y qué? No eran más fríos que los ojos de su padre, que le observó con atención cuando se sentó a la mesa. Se acordó entonces, una mirada le bastó para saber que su madre se había chivado. ¡Cielos, oh, cielos! ¡Que su propia madre le hubiera delatado! Bandini señaló con la cabeza la ventana de ocho vidrios que había en la otra punta de la estancia, faltaba un cristal y el hueco se había tapado con un trapo de cocina.

—Así que rompiste el cristal con la cabeza de tu hermano, ¿eh?

Fue excesivo para Federico. Volvió a verlo todo otra vez: Arturo cabreado, Arturo que lo empujaba contra la ventana, el ruido del vidrio al romperse. De pronto se echó a llorar. No había llorado por la noche, pero se había acordado ahora: la sangre que le manaba del pelo, su madre que le lavaba la herida y le decía que fuera valiente. Había sido espantoso. ¿Por qué no había llorado por la noche? No se acordaba, pero lloraba ahora y se frotaba los ojos con los nudillos para secarse las lágrimas.

—¡A ver si te callas! —le dijo Bandini.

—Si te tirasen de cabeza contra una ventana —dijo Federico entre sollozos—, verías como también llorabas tú.

Arturo no lo podía ni ver. ¿Por qué tenía que tener un hermano pequeño? ¿Por qué había tenido que ponerse ante la ventana? ¡Vaya gentuza aquellos Macarroni! Fíjate en el padre, anda. Mira cómo espachurra los huevos con el tenedor para que los demás sepan que está cabreado. ¡Mira cómo le chorrea la yema por la barbilla! Y por el bigote. Claro, como era un Espaguetini Macarroni se tenía que dejar bigote, pero ¿hacía falta que se metiese los huevos por las orejas? ¿Es que no sabía dónde tenía la boca? ¡Dios bendito, los italianos!

Pero Federico se había callado ya. El martirio de la noche anterior ya no le interesaba; había descubierto una miga de pan en su vaso de leche que le recordaba a un barco que surcase el océano; *ruuuuuum,* hacía el motor del barco, *ruuuuuuum.* Si el mar fuese de leche de verdad... ¿se podría coger helado en el Polo Norte? *Ruuuuuum, ruuuuuuum.* De pronto se puso a pensar otra vez en la noche anterior. Los ojos se le inundaron de lágrimas y comenzó a sollozar. ¡Pero la miga de pan se hundía! *Ruuuuuum, ruuuuuum.* ¡No te hundas, barquito, no te hundas! Bandini le miraba con fijeza.

—¡Por los clavos de Cristo! —exclamó—. ¿Quieres beberte la leche y dejar de hacer el indio?

Mencionar el nombre de Cristo tan a la ligera fue para María como un bofetón en la boca. Al casarse con Bandini no se le había ocurrido que fuese dado a las blasfemias. Nunca se había acostumbrado del todo. Aunque Bandini blasfemaba por cualquier cosa. Lo primero que había aprendido a decir en inglés había sido me cago en la hostia. Y estaba muy orgulloso de sus blasfemias. Cuando se enfadaba, se desahogaba siempre en dos idiomas.

—Bueno —dijo—, ¿por qué tiraste a tu hermano de cabeza contra la ventana?

—¿Y yo qué sé? —dijo Arturo—. Lo hice y ya está.

Los ojos de Bandini adquirieron un fulgor mortífero.

—Ah, ¿sí? ¿Y si yo te arranco la calamorra de un guantazo?

—Svevo —dijo María—. Svevo. Por favor.

—¿Qué te pasa a ti?

—Fue sin querer, Svevo —dijo la madre con una sonrisa—. Fue un accidente. Cosa de muchachos.

Soltó la servilleta de un golpe. Los dientes le rechinaron y se cogió el pelo con las dos manos. Y se puso a oscilar en la silla, adelante y atrás, adelante y atrás.

—¡Cosa de muchachos! —exclamó en son de burla—. El jodío cabrón estampa a su hermano contra la ventana ¡y es cosa de muchachos! ¿Y quién va a pagar el cristal? ¿Quién pagará la factura del médico cuando lo tire por un precipicio? ¿Quién pagará al abogado cuando lo metan en la cárcel por matar a su hermano? ¡Tenemos un asesino en la familia! *Oh Deo uta me!* ¡Ayúdame, Señor!

María cabeceó sonriendo. Arturo curvó los labios y esbozó una sonrisa criminal: así que su padre estaba también en contra suya, incluso le acusaba ya de un asesinato. La cabeza de August se bamboleaba con tristeza, aunque estaba contento porque de mayor no sería un asesino como su hermano Arturo; si por él fuera, sería cura; a lo mejor tenía que administrar los últimos sacramentos a Arturo antes de que lo sentaran en la silla eléctrica. En cuanto a Federico, ya se veía muerto a manos de su colérico hermano, ya se veía en el entierro, echado en la caja; todos sus amigos de Santa Catalina estaban presentes, de rodillas y llorando; ¡era un espectáculo espantoso! Los ojos se le volvieron a humedecer y sollozó con amargura, preguntándose si se tomaría otro vaso de leche.

—Para Navidad, yo quiero una lancha motora —dijo.

Bandini se le quedó mirando, estupefacto.

—Ni más ni menos que lo que esta familia necesita —dijo. Hizo revolotear la lengua con sarcasmo—. ¿Tú quieres una motora de verdad, Federico? ¿Una que haga pat pat pat pat pat?

—¡Sí, sí, quiero una así! —exclamó Federico riéndose—. ¡Una que haga pátiti pátiti pat pat! —Ya estaba en ella, ya la conducía por la mesa de la cocina y por el Lago Azul, allá en lo alto de las montañas. La sonrisa despectiva de Bandini le obligó a parar el motor y echar el ancla. Se quedó callado e inmóvil. La sonrisa despectiva de Bandini le atravesaba de parte a parte. Federico quiso echarse a llorar otra vez, pero no se atrevió. Bajó los ojos hasta el vaso de leche vacío, vio un par de gotas en el fondo y las apuró con gran derroche de paciencia mientras dirigía a su padre una mirada furtiva por encima del vaso. He allí a Svevo Bandini: sonriéndole con desprecio. Federico notó que se le ponía la carne de gallina.

—Va, venga —murmuró acongojado—. Si no he hecho nada.

El silencio quedó roto. Todos se calmaron, hasta Bandini, que había prolongado la escena demasiado. Habló con serenidad.

—Nada de lanchas motoras, ¿entendido? Nada de lanchas motoras.

¿Aquello era todo? Federico suspiró de alegría. Todo el rato había estado convencido de que su padre había descubierto que había sido él quien le había robado la calderilla de los pantalones de faena, quien había roto la farola de la esquina, quien había hecho en la pizarra aquel dibujo de la hermana Mary Constance, quien le había dado en un ojo a Stella Colombo con una bola de nieve y quien había escupido en la pila de agua bendita de la iglesia de Santa Catalina.

Y dijo con gran dulzura:

—No quiero una lancha, papá. Si no quieres que tenga una lancha, yo tampoco la quiero, papá.

Bandini asintió a su mujer con talante de quien se da a sí mismo la razón: así se educaba a los hijos, decía el cabeceo. Cuando quieras que un crío haga algo, mírale con fijeza; así es como se educa a un muchacho. Arturo arrebañó los restos del huevo y esbozó una sonrisita: vaya tarao que tenía por padre. Él sí sabía quién era Federico; él sí sabía lo cerdo y marrullero que era Federico; aquella carita de inocente no le engañaba a él ni por el forro, y de súbito deseó no haberle empotrado en la ventana la cabeza solamente, sino el cuerpo entero, cabeza, pies y todo.

—Cuando yo era pequeño —comenzó Bandini—. Cuando yo era pequeño, allá en el pueblo...

Federico y Arturo abandonaron la cocina en el acto. Estaban hartos de oír la misma historia. Sabían que por enésima vez iba a contar que ganaba cuatro chavos al día por cargarse pedruscos a la espalda, cuando era pequeño, allá en el pueblo, por cargarse pedruscos a la espalda, cuando era pequeño. Svevo Bandini caía en trance cuando contaba la anécdota. Era una especie de fantasía que borraba y confundía a Helmer el banquero, los agujeros de los zapatos, la casa que no había pagado y los hijos que había que alimentar. Cuando yo era pequeño: delirio, fantasía. El paso de los años, la travesía de un océano, la acumulación de bocas que alimentar, el ir de problema en problema, año tras año, era algo de lo que por otra parte se podía alardear, como el acopio de una gran fortuna. Con ello no podía comprarse un par de zapatos, pero eran cosas que le habían sucedido a él. Cuando yo era pequeño... María, atenta una vez más, se preguntó por qué lo decía siempre de aquel modo, aludiendo a los años transcurridos, envejeciéndose él solo.

Llegó una carta de Donna Toscana, la madre de María. Donna Toscana, la de la lengua roja y grande, aunque no lo bastante grande para contener el flujo de saliva rabiosa que se le originaba al pensar en el matrimonio de su hija con

Svevo Bandini. María miró y remiró la carta por todas partes. El cierre chorreaba pegamento por donde la lengua gorda de Donna Toscana lo había empapado. María Toscana, Walnut Street 456, Rocklin, Colorado, porque Donna se negaba a utilizar el nombre de casada de la hija. La letra grande y bárbara habría podido confundirse con el rastro del pico ensangrentado de un halcón, con la caligrafía de una campesina que acabase de rebanarle el pescuezo a una cabra. María no abrió la carta; conocía el contenido.

Llegó Bandini del patio trasero. Llevaba en las manos un buen pedazo de carbón lustroso. Lo dejó en el cubo del carbón que estaba detrás de la estufa. Tenía las manos cubiertas de polvillo negro. Arrugó la frente; le daba asco transportar carbón; era faena de mujeres. Miró irritado a María. Ésta le indicó con la cabeza la carta apoyada en el salero astillado que había sobre el mantel de hule amarillo. La caligrafía gruesa de la suegra se retorció ante sus ojos igual que un reguero de lombrices. Odiaba a Donna Toscana con una violencia que rayaba en el miedo. Cada vez que se veían se peleaban como dos fieras de sexo opuesto. Le gustó asir aquella carta con sus manos ennegrecidas y mugrientas. Disfrutó rasgando el sobre con rabia, sin ningún miramiento para con el contenido. Antes de leer la carta observó a su mujer con ojos penetrantes para que supiera una vez más lo mucho que despreciaba a la mujer que la había traído al mundo. María se sintió impotente; aquella enemistad no era asunto suyo, durante toda su vida de casada se había esforzado por no pensar en ella, y habría roto la carta si Bandini no le hubiera prohibido incluso que abriese las misivas de su madre. Svevo Bandini obtenía un placer morboso con las cartas de su suegra que aterraba a María totalmente; había algo perverso y nauseabundo en ello, como mirar debajo de una piedra húmeda. Era el placer malsano del mártir, de un hombre que disfrutaba de un modo peregrino crucificando a una suegra que se alegraba de la desdicha de aquél ahora que pasaba una mala época. A Bandini le encantaba aquel acoso porque le suscitaba un deseo violento de estar borracho. Pocas veces bebía demasiado porque le sentaba mal, pero una carta de Donna Toscana le producía un efecto obnubilador. Era una excusa que recomendaba buscar el olvido, porque cuando estaba borracho odiaba a su madre política hasta babear de histeria, y era capaz de olvidar, era capaz de olvidar la casa que aún no había pagado, las facturas, la aplastante monotonía del matrimonio. Significaba huir: un día, dos días, una semana de trance: y María alcanzaba a recordar momentos en que la borrachera había durado dos semanas. No había forma de ocultarle las cartas. Las recibían de uvas a peras, pero sólo significaban una cosa: que Donna Toscana quería pasar con ellos una tarde. Si se presentaba sin haber visto la carta, Bandini sabía que se la había ocultado su mujer. La última vez que había sucedido, Svevo había perdido la paciencia y había dado a Arturo una somanta monstruosa por poner demasiada sal a los macarrones, falta ridícula y que, por supuesto, habría pasado inadvertida en circunstancias normales. Pero se le había ocultado la carta y alguien tenía que pagarlo.

Aquella última misiva llevaba fecha de la víspera, 8 de diciembre, día de la Inmaculada Concepción. Mientras Bandini leía el escrito, la carne de la cara se le puso pálida y la sangre le desapareció como el agua del reflujo que chupa la arena. La carta decía:

> *Querida María:*
> *Hoy es la gloriosa festividad de la Bendita Virgen María y he ido a la iglesia para rezar por tus desgracias. No sabes cuánto sufro por ti y por tus pobres hijos, que tienen que padecer la situación trágica en que vives. He pedido a Nuestra Señora que tenga compasión de ti y que lleve un poco de alegría a esos pequeñuelos que no merecen lo que les ha caído encima. Estaré en Rocklin el domingo por la tarde, llegaré en*

el autobús de las ocho. Todo mi amor y muchos besos cariñosos para ti y los niños.

DONNA TOSCANA

Sin mirar a su mujer, Bandini dejó la carta y comenzó a comerse la uña de un pulgar, ya encolerizado. Se tiró del labio inferior con los dedos. La rabia empezó a concentrarse a cierta de distancia de él. María la sentía brotar de los rincones de la estancia, de las paredes y el suelo, un husmo que se arremolinaba con independencia absoluta y que nada tenía que ver con ella. Se arregló la blusa para no pensar en aquello. Dijo con voz desmayada:

—Svevo...

Éste se incorporó, le hizo una mamola, esbozó una sonrisa de malignidad para decirle que aquella exhibición de afecto no era sincera y salió de la estancia.

—¡Ay, María! —canturreó con voz exenta de melodía, pues sólo el odio le podía arrancar de la garganta una canción de amor—. ¡Ay, María! ¡Ay, María! *Quanto sonna perdato per te! Fa me dor me! Fa me dor me!* ¡María, oh, María! ¡Cuánto sueño perdido por tu causa! ¡Déjame dormir, oh María!

No había forma de que callara. Escuchó las delgadas suelas del calzado del marido que chacoloteaban contra el suelo como gotas de agua que cayesen sobre una estufa. Oyó el rumor de su abrigo remendado y zurcido mientras se lo ponía. Después unos segundos de silencio, hasta que oyó la rascadura de una cerilla, y supo que Svevo había encendido un puro. La violencia de Svevo era superior a sus fuerzas. Si se entrometía, Svevo podía sentir la tentación de derribarla de un golpe. Contuvo el aliento cuando los pasos del marido se acercaron a la puerta principal: había un paño de vidrio en aquella puerta principal. Pero no: la cerró con normalidad y se alejó. Momentos después se reuniría con su buen amigo Rocco Saccone, el cantero, el único ser humano al que ella despreciaba de verdad. Rocco Saccone, el amigo de infancia de Svevo Bandini, el soltero chupawhisky que había tratado de impedir el matrimonio de Bandini; Rocco Saccone, que llevaba siempre pantalones blancos de franela y se jactaba de un modo que daba asco de las casadas norteamericanas que seducía los sábados por la noche en los bailes antiguos que se celebraban en el Odd Fellows Hall. En Svevo confiaba. Empinaría el codo hasta que el encéfalo le flotase en un océano de whisky, pero no le sería infiel. Lo sabía. ¿Lo sería ella, no obstante? Con sobresalto reprimido se dejó caer en la silla que había junto a la mesa y se echó a llorar con la cara oculta entre las manos.

2

ERAN las tres menos cuarto en la clase de octavo de Santa Catalina. La hermana Mary Celia, a quien le hacía daño el ojo de vidrio, estaba de un humor muy irritable. El párpado izquierdo, totalmente fuera de control, no hacía más que contraérsele. Los alumnos de octavo curso, once chicos y nueve chicas, contemplaban el párpado contráctil. Las tres menos cuarto: quince minutos para la salida. Nellie Doyle, con la fina tela del vestido capturada por la pinza de los glúteos, recitaba los efectos económicos de la desmotadora de algodón de Eli Whitney, y dos de los chicos que tenía detrás, Jim Lacey y Eddie Holm, se lo pasaban en grande, aunque sin hacer ruido, riéndose a costa del vestido capturado por los glúteos de Nellie. Se les había dicho una y mil veces que vigilasen por si el párpado que cubría el ojo de cristal de la anciana Celia empezaba a sufrir sacudidas, pero era mucho más interesante mirar a Doyle.

—La desmotadora de Eli Whitney provocó una revolución económica sin precedentes en la historia de la industria algodonera —decía Nellie.

La hermana Mary Celia se puso en pie.

—¡Holm y Lacey! —exigió—. ¡Levantaos!

Nellie se sentó sin saber qué sucedía y los dos muchachos se incorporaron. Las rodillas de Lacey crujieron, la clase se rió por lo bajo, Lacey esbozó una sonrisa y acto seguido se ruborizó. Tosió Holm mientras, con la cabeza gacha, observaba los caracteres de la marca de su lápiz. Era la primera vez que leía la inscripción y se quedó más bien sorprendido al advertir que no decía más que Fábrica de Lápices Walter.

—Holm y Lacey —dijo la hermana Celia—. Estoy harta de los tontos que sonríen en mi clase. ¡Sentaos! —Se dirigió entonces a toda la clase, aunque hablaba en realidad para los chicos solamente, ya que las chicas casi nunca le creaban problemas—. Y al próximo sinvergüenza que coja distraído durante la lectura se quedará hasta las seis. Adelante, Nellie.

Nellie volvió a levantarse. Lacey y Holm, asombrados de haberse librado con tanta facilidad, se quedaron con la cabeza vuelta hacia el otro extremo de la clase, temerosos de que les entrara otro ataque de risa si el vestido de Nellie seguía enganchado.

—La desmotadora de Eli Whitney provocó una revolución económica sin precedentes en la historia de la industria algodonera —dijo Nellie.

Lacey habló entre susurros con el alumno que tenía delante.

—Oye, Holm. Mira a ver qué hace el Bandini.

Arturo se encontraba en el otro extremo de la clase, a tres pupitres de la mesa de la monja. Tenía gacha la cabeza, el pecho pegado al pupitre, y apoyado en el tintero había un pequeño espejo de mano en que se miraba mientras se recorría la nariz con la punta de un lápiz. Se estaba contando las pecas. La noche anterior había dormido con la cara cubierta de zumo de limón; se decía que era fabuloso para quitar las pecas. Contaba noventa y tres, noventa y cuatro, noventa y cinco... Le embargaba la sensación de que la vida era inútil. Fíjate, lo más crudo del invierno, el sol que sólo se dejaba ver durante un momento a la caída de la tarde, y el cómputo en torno de la nariz y en las mejillas había añadido otras nueve a unas pecas que en total sumaban ya noventa y cinco. ¿Qué sentido tenía vivir? Y eso que la noche de la víspera se había puesto zumo de limón. ¿Quién era aquella embustera que en las Noticias Locales del *Denver*

Post de la víspera había escrito que las pecas «se iban como el viento» con el zumo de limón? Ya era una desgracia ser pecoso, pero, por lo que sabía, él era el único Macarroni pecoso que había en el mundo. ¿De dónde procedían? ¿De qué rama de la familia había heredado aquellas marcas cobrizas de Caín? Malhumorado, se puso a contar alrededor de la oreja izquierda. Oía a lo lejos el tímido informe sobre las repercusiones económicas de la desmotadora de Eli Whitney. Era Josephine Perlotta, que recitaba de memoria: ¿a quién diantres le importaba lo que Perlotta tuviese que decir sobre la desmotadora? Era una Espaguetini, ¿qué sabía ella de desmotadoras? En junio, gracias a Dios, saldría de aquella aburrida escuela católica y se matricularía en una escuela nacional de segunda enseñanza, donde los Macarronis eran pocos y estaban muy repartidos. Las pecas de la oreja izquierda sumaban diecisiete, dos más que la víspera. ¡Pecas de la hostia! Ahora era otra voz la que hablaba sobre la desmotadora, una voz parecida a un violín delicado, que le hizo vibrar la carne y contener el aliento. Dejó el lápiz y abrió la boca. Hela allí ante él, su hermosa Rosa Pinelli, su amor, su novia. ¡Oh, desmotadora de algodón! ¡Oh, benemérito Eli Whitney! Oh Rosa, qué maravillosa eres. Te amo, Rosa, te amo, te amo, te amo.

Era italiana, por supuesto; pero ¿qué podía hacer ella? ¿No era tan inocente de ello como él? ¡Oh, fíjate en su pelo! ¡Y en los hombros! ¡Y en el bonito vestido verde! ¡Ah, escuchad esa voz! Háblales, Rosa. Háblales de la desmotadora. Sé que me detestas, Rosa. Pero yo te amo, Rosa. Te amo y algún día me verás de centrocampista con los Yanquis de Nueva York, Rosa. Allí estaré, en el campo central, cariño, y tú serás mi chica y estarás sentada en un asiento de palco junto a la tercera base, y llegaré yo, estaremos en la segunda mitad de la novena vuelta y los Yanquis perderán por tres carreras. ¡Pero no te preocupes, Rosa! Llegaré yo, con tres hombres en base, y te miraré, tú me enviarás un beso y yo reventaré el huevo contra la valla del campo central. Pasaré a la historia, cariño. ¡Me besarás y pasaré a la historia!

—*¡Arturo Bandini!*

Además, ya no tendré pecas por entonces, Rosa. Habrán desaparecido, siempre se van cuando se crece.

—*¡Arturo Bandini!*

También me cambiaré el nombre, Rosa. Me llamarán el Bombardero, el Bambino Bombardero; Art, el Bandido Bateador...

—*¡Arturo Bandini!*

Aquella vez sí lo oyó. El rugido de la multitud que asistía a la final de la liga se desvaneció. Alzó los ojos y vio a la hermana Mary Celia inclinada sobre su mesa, golpeando ésta con el puño y con el ojo izquierdo deshecho en guiños. Le estaban mirando, todos le miraban, hasta su Rosa se reía de él y el estómago se le fue a los tobillos cuando se dio cuenta de que había estado hablando de sus fantasías en voz alta. Que los demás se rieran si querían, pero Rosa... ah, Rosa, y su risa era más punzante que todas las demás, sintió el dolor en las entrañas y la odió: Espaguetina, hija de un minero Macarroni que trabajaba en Louisville, ciudad de Canelonis: un minero de mierda. Salvatore se llamaba; Salvatore Pinelli, tan bajo y arrastrado que tenía que trabajar en una mina de carbón. ¿Acaso sabía construir una pared que durase años y más años, cien, doscientos años? ¡Vamos, hombre! El Caneloni tenía un zapapico y un candil en la gorra, y tenía que descender bajo tierra y ganarse la vida como una asquerosa rata Caneloni. Él se llamaba Arturo Bandini y si alguno de la escuela tenía algo que decir, que abriese la boca y vería lo que es bueno.

—*¡Arturo Bandini!*

—Sí —dijo con voz cansina—. Sí, hermana Celia. La oigo. —Se puso en pie. La clase le observaba. Rosa murmuró algo a la chica que tenía detrás, ocultando la sonrisa con una mano. Arturo vio el movimiento e hizo amago de darle un grito, pensando que había hecho algún comentario sobre sus pecas, o sobre el enorme remiendo de la rodillera de sus pantalones, o sobre el corte de pelo que le hacía falta, o sobre la camisa que a su padre no le quedaba bien y a la que habían entrado para adaptarla a su talla.

—Bandini —dijo sor Celia—. A mí no me cabe la menor duda de que eres un retrasado mental. Ya te advertí a propósito de distraerte. Una imbecilidad como la tuya merece recompensa. Después de clase te quedarás hasta las seis.

Volvió a sentarse y el timbre de las tres resonó histéricamente por los pasillos.

Estaba solo con la hermana Celia que corregía deberes en su mesa. La monja trabajaba sin reparar en él, el párpado izquierdo presa de contracciones incontenibles. El sol, pálido y achacoso, apareció por el suroeste, aunque en la tarde invernal parecía más bien una luna fatigada. Apoyaba la barbilla en una mano mientras contemplaba el sol frío. Del otro lado de la ventana, la hilera de abetos parecía más fría aún bajo su triste carga blanquecina. En algún punto de la calle sonó un grito juvenil y luego el rechinar de unas cadenas antinieve. Odiaba el invierno. Pensó en el rombo del campo de béisbol de detrás de la escuela, sepultado por la nieve, la valla que había tras la base del bateador engalanada con una fantástica hinchazón de copos, una escena llena de tristeza y soledad. ¿Qué podía hacerse allí en invierno? Casi le alegraba estar allí, sometido a un castigo que le divertía. A fin de cuentas, encontrarse allí no era peor que encontrarse en cualquier otro sitio.

—¿Quiere que haga algo, hermana? —preguntó.

Sin levantar los ojos de lo que hacía, le respondió la monja:

—Quiero que te estés quieto y callado; si es posible.

El muchacho sonrió y dijo arrastrando las palabras:

—Vale, vale, hermana.

Durante diez minutos seguidos estuvieron quietos y en silencio.

—Hermana —dijo Arturo—, ¿quiere que limpie las pizarras?

—Ya pagamos a un mozo para que lo haga —dijo la monja—. Aunque debiera decir que más que darle un jornal lo tratamos a cuerpo de rey.

—Hermana, ¿le gusta el béisbol?

—Prefiero el rugby —dijo la monja—. No me es simpático el béisbol. Me aburre.

—Eso es porque no entiende los aspectos más sutiles del juego.

—Calla de una vez, Bandini, hazme el favor.

Cambió el muchacho de postura, apoyó la barbilla en los brazos y se quedó mirando a la monja con fijeza. El párpado izquierdo se le contraía sin parar. Se preguntó por qué tendría un ojo de cristal. Siempre había pensado que alguien le había golpeado con una pelota de béisbol; ahora estaba casi totalmente seguro. La monja había llegado a Santa Catalina procedente de Fort Dodge, Iowa. Se preguntó qué clase de béisbol jugarían en Iowa y si habría allí muchos italianos.

—¿Cómo está tu madre? —le preguntó la monja.

—No lo sé. Bien, supongo.

La monja levantó la cara de lo que hacía por vez primera y se le quedó mirando.

—¿Cómo que lo supones? ¿No lo sabes acaso? Tu madre es una persona muy buena, una persona excelente. Tiene alma de ángel.

Por lo que sabía, él y sus hermanos eran los únicos que estudiaban gratis en aquel colegio católico. Sólo había que abonar dos dólares al mes por alumno, pero ello equivalía a seis dólares mensuales por él y sus hermanos y no se pagaba el recibo. La sensación de que los demás pagaban y él no era una distinción que le atormentaba lo indecible. De tarde en tarde, su madre metía un par de dólares en un sobre y le decía que se los entregara a la Hermana Superiora, a cuenta. Lo cual era aún más detestable si cabe. Siempre se negaba con irritación. A August, sin embargo, no le importaba entregar aquellos sobres excepcionales; antes bien, esperaba ansioso la ocasión. Odiaba a August por ello, por sacar a relucir su pobreza, por la complacencia que sentía al recordar a las monjas que ellos eran pobres. En cualquier caso nunca había querido ir a un colegio de monjas. Lo único que lo hacía soportable era el béisbol. Cuando la hermana Celia le dijo que su madre era una persona excelente, se dio cuenta de que quería decir que era una persona valiente que se sacrificaba y se privaba del contenido de aquellos pequeños sobres. Aunque, a su modo de ver las cosas, no había ninguna valentía en el gesto. Era más bien algo horrible y odioso que les diferenciaba de los demás a él y a sus hermanos. No sabía muy bien la causa, pero era innegable la existencia de aquella sensación personal de que el detalle les diferenciaba del resto. En cierto modo formaba parte de la misma ley que había decretado que tuviera pecas, que necesitase un corte de pelo, que llevase un remiendo en la rodilla y que fuera italiano.

—¿Va tu padre a misa los domingos, Arturo?

—Claro.

Se le formó un nudo en la garganta. ¿Por qué tenía que mentir? Su padre sólo iba a misa el día de Navidad por la mañana y, a veces, el Domingo de Resurrección. Pero, mentira o no, le gustaba que su padre no se tomara las misas en serio. Ignoraba por qué, pero le complacía. Recordó lo que había dicho su padre. Había dicho Svevo: si Dios está en todas partes, ¿por qué tengo que ir yo a la iglesia los domingos? ¿Por qué no puedo ir a los Billares Imperial? ¿No está Dios también allí? Su madre siempre se estremecía de horror ante aquella lección de teología y recordaba la contestación insustancial que había dado, la misma contestación que él había leído en su catecismo y que su madre había leído en el mismo catecismo años atrás. Era nuestro deber de cristianos, decía el catecismo. La verdad es que él iba a misa unas veces y otras veces no iba. Las veces que no iba, se apoderaba de él un miedo tremendo, y se sentía asustado y triste hasta que se desahogaba en el confesonario.

A las cuatro y media la hermana Celia acabó de corregir los deberes. Arturo estaba aburrido, cansado y ardía en deseos de hacer cualquier cosa, lo que fuera. El aula estaba ya casi a oscuras. La luna se había asomado entre titubeos por el monótono cielo oriental y resplandecería con toda su blancura si conseguía liberarse. El aula le puso melancólico, sumida en aquella penumbra. Era una clase ideal para que las monjas entraran, calzadas con zapatos gruesos y silenciosos. Los pupitres vacíos hablaban con tristeza de los niños que se habían marchado y hasta el suyo parecía compadecerse porque con cordial intimidad le decía que se fuese a casa para poder estar solo con sus compañeros. Arañado y marcado con sus iniciales, sucio y manchado de tinta, el pupitre estaba tan harto de él como él del pupitre. En el presente casi se odiaban, aunque se daban grandes muestras de tolerancia.

Sor Celia se puso en pie mientras recogía los papeles.

—A las cinco podrás irte —le dijo—. Pero con una condición...

La apatía de Arturo dio paso a un poco de curiosidad por aquella condición. Repantigado y con las piernas abrazadas al pupitre, no tuvo más remedio que tragarse el fastidio que sentía.

—Quiero que cuando salgas a las cinco te arrodilles ante el Santísimo Sacramento y le pidas a la Virgen María que bendiga a tu madre y le conceda toda la felicidad que merece la pobrecita.

Se marchó entonces. La pobrecita. Su madre, la pobrecita. Aquello le produjo tanta rabia que los ojos se le humedecieron. En todas partes era igual, siempre su madre, la pobrecita, siempre pobre, pobre siempre, siempre aquello, aquella palabra, siempre con él y alrededor de él, y de súbito dejó de contenerse en la clase medio a oscuras y se puso a llorar, a exorcizar la pobreza con los sollozos, y lloraba y se ahogaba, aunque no por aquello, no por ella, no por su madre, sino por Svevo Bandini, por su padre, por la cara que tenía siempre su padre, por las manos nudosas de su padre, por las herramientas de su padre, por las paredes que había construido su padre, las escaleras, las cornisas, las chimeneas y las catedrales, todo sublime y hermoso, pues no le embargaba otra sensación cuando su padre se deshacía en elogios de Italia, de cierto cielo italiano, de cierta bahía de Nápoles.

A las cinco menos cuarto se le había pasado la tristeza. El aula estaba casi totalmente a oscuras. Se pasó la manga por la nariz y experimentó un brote de alegría en el corazón, un sentimiento de bienestar, un sosiego que hizo que los quince minutos que faltaban se pasasen volando. Quiso encender las luces, pero la casa de Rosa estaba junto al descampado del otro lado de la calle y desde el soportal trasero se veían las ventanas de la escuela. La muchacha podía ver la luz encendida y recordar que él se encontraba todavía en el aula.

Rosa, su novia. Ella no le podía ni ver, pero era su novia. ¿Sabía que la amaba? ¿Por eso le odiaba ella? ¿Descifraba los misterios que le corrían a él por dentro y por eso se reía de él? Fue hasta la ventana y vio luz en la cocina de la casa de Rosa. En algún punto, bañada por aquella luz, Rosa se movía y respiraba. Tal vez estuviera estudiando la lección en aquellos momentos, porque Rosa era muy aplicada y obtenía las mejores notas de la clase.

Se apartó de la ventana, se encaminó hacia el pupitre de ella. No había otro igual en el aula: era más limpio, más femenino, la superficie estaba más brillante y mejor barnizada. Se sentó en el asiento de ella y la sensación le produjo un estremecimiento. Palpó la madera, el interior del pequeño anaquel donde ponía ella los libros. Los dedos encontraron un lápiz. Lo observó de cerca: estaba ligeramente señalado por los dientes de Rosa. Lo besó. Besó los libros que había en el pupitre, todos ellos preciosamente forrados con hule blanco y perfumado.

A las cinco en punto, desfallecido de amor y desgranando con los labios un incesante Rosa, Rosa, Rosa, bajó las escaleras y salió al atardecer invernal. La iglesia de Santa Catalina estaba al lado del colegio. ¡Rosa, te amo!

Anduvo en trance por el lóbrego pasillo central, el agua bendita enfriándole aún la punta de los dedos y la frente, los pies despertando rumores en el coro, el aroma del incienso, el aroma de mil entierros y mil bautizos, el olor dulzarrón de la muerte y el olor agrio de los vivos mezclándosele bajo las aletas de la nariz, el resuello apagado de las velas encendidas, su propio eco mientras avanzaba de puntillas por la larga nave, y Rosa en su corazón.

Se arrodilló ante el Santísimo Sacramento y se esforzó por rezar como le habían dicho, pero la cabeza le temblaba y flotaba en el delirio del nombre de la muchacha, y de pronto se dio cuenta de que estaba cometiendo un pecado, un pecado gordo y horrible en presencia del Santísimo Sacramento porque pensaba en Rosa con malas intenciones, pensaba en ella de un modo que prohibía el catecismo. Cerró los ojos con fuerza y trató de ahuyentar al mal, pero volvió con energía redoblada y en la cabeza se le formó una imagen de pecaminosidad sin precedentes, un pensamiento que no había tenido hasta entonces en toda su vida y abrió la boca no sólo a causa del horror que le producía el encontrarse ante Dios con el alma desnuda, sino también a causa del éxtasis asombroso que le producía la imagen. Era intolerable. Podía morir por ello: Dios podía fulminarle allí mismo en el acto. Se levantó, se santiguó y salió corriendo de la iglesia, aterrado, el pensamiento pecaminoso persiguiéndole como dotado de alas. Cuando llegó a la calle helada se asombró de seguir vivo, porque la fuga por la nave larga por la que tantos muertos habían desfilado se le había antojado infinita. No quedaba rastro en su cabeza del mal pensamiento cuando se encontró en la calle y contempló las primeras estrellas del anochecer. Hacía demasiado frío. Se puso a tiritar inmediatamente, porque aunque llevaba tres jerseis no tenía abrigo ni guantes, y tuvo que dar palmadas para mantener calientes las manos. Había dado un rodeo de una manzana, pero es que quería pasar ante la casa de Rosa. La casa de los Pinelli, de un solo piso, se acurrucaba bajo los álamos a veinticinco metros de la acera. Las persianas de las dos ventanas delanteras estaban echadas. En pie en el sendero que conducía a ella, con los brazos cruzados y las manos en las axilas para mantenerlas calientes, buscó con los ojos algún signo de Rosa, su perfil en el momento de pasar ante alguna ventana. Golpeó el suelo con los pies, de la boca le surgían nubecillas blancas. Ni rastro de Rosa. Entonces acercó la cara helada a los montones de nieve que bordeaban el sendero y observó con atención una huella pequeña de muchacha. Era de Rosa, ¿de quién, si no de Rosa, en aquel patio? Sus dedos helados escarbaron la nieve que rodeaba la huella, la alzó del suelo con ambas manos y se la llevó consigo por la calle...

Al llegar a casa vio que sus dos hermanos estaban cenando en la cocina. Otra vez huevos. Los labios se le arrugaron mientras se calentaba las manos junto a la estufa. La boca de August estaba llena de pan cuando la abrió para hablar.

—Arturo, ya he traído yo la leña. A ti te tocará traer el carbón.

—¿Dónde está mamá?

—En la cama —dijo Federico—. Va a venir la abuela Donna.

—¿Está ya borracho papá?

—No está en casa.

—¿Por qué va a venir la abuela Donna? —dijo Federico—. Papá se emborracha siempre.

—¡Esa vieja pelleja! —dijo Arturo.

A Federico le encantaban las palabras malsonantes. Se echó a reír.

—Vieja pelleja y zorra —dijo.

—Eso es pecado —dijo August—. Dos pecados.

Arturo sonrió con desprecio.

—¿Por qué *dos* pecados?

—Uno por decir palabras feas, otro por no honrar a tu padre y a tu madre.

—La abuela Donna no es mi madre.

—Es tu abuela.

—Pues que le den por el culo.

—Eso también es pecado.

—Cierra la bocaza de una vez.

Cuando sintió que las manos le hormigueaban, cogió el cubo grande y el cubo pequeño que había detrás de la estufa y abrió la puerta trasera de un puntapié. Balanceando con cuidado los dos cubos, recorrió el trecho breve y seguro que le separaba de la carbonera. Quedaba ya poco carbón. Aquello significaba que su madre recibiría una buena bronca de Bandini, que no comprendía que se pudiera gastar tanto carbón. Estaba al tanto de que la Big 4 Coal Company se había negado a seguir dando crédito a su padre. Llenó los cubos y pensó con admiración en la habilidad que tenía su padre para conseguir cosas sin dinero. No le extrañaba que se emborrachase. También él se emborracharía si estuviese obligado a comprar cosas sin disponer de dinero.

El ruido del carbón al golpear el metal de los cubos despertó a las gallinas de María en el cobertizo que había del otro lado del sendero. Se movieron con torpeza soñolienta por el sector húmedo y bañado por la luz de la luna y boquearon hambrientas al muchacho, que seguía inclinado en la puerta de la carbonera. Le saludaron cloqueando, con la testa ridícula empotrada en los agujeros de la tela metálica del gallinero. Las oyó el chico, que se incorporó y se las quedó mirando con desprecio.

—Huevos —dijo—. Huevos para desayunar, huevos para comer, huevos para cenar.

Cogió un pedazo de carbón del tamaño de su puño, se echó atrás y calculó la distancia. El pedazo estuvo a punto de segar la cabeza a la vieja gallina parda que tenía más próxima, pero le rebotó en el cuello y se perdió en la parte de los pollos. El animal se tambaleó, se desplomó, se incorporó con debilidad y volvió a desplomarse mientras los demás cacareaban de pánico y desaparecían en los penetrales del gallinero. La vieja gallina parda estaba otra vez en pie y bailoteaba aturdida en la parte nevada del corral, trazando un extraño dibujo zigzagueante y rojo en la superficie de la nieve. Murió despacio, arrastrando la cabeza ensangrentada hasta un montón de nieve que subía hacia lo alto de la valla. Contempló la agonía del animal con satisfacción e indiferencia. Cuando aquél se estremeció por vez postrera, Arturo emitió un gruñido y llevó los cubos cargados a la cocina. Un momento después volvía para recoger a la gallina muerta.

—¿Por qué lo has hecho? —dijo August—. Es pecado.

—Cierra el pico —le dijo Arturo, enseñándole el puño.

3

MARÍA estaba enferma. Federico y August entraron de puntillas en el oscuro dormitorio en que estaba la madre, congelado por el invierno, caldeado por el perfume de los objetos que había en el tocador, el olor tenue del pelo de la madre inundándolo todo, el olor fuerte de Bandini, de sus ropas, también presente en cierto modo en la habitación. María abrió los ojos. Federico estaba a punto de sollozar. August parecía aturdido.

—Tenemos hambre —dijo—. ¿Dónde te duele?

—Me levantaré —dijo la madre.

Oyeron el crujido de sus articulaciones, vieron que la sangre le hacía retroceder la palidez de la cara, sintieron la hedentina que le desprendía la boca y la desdicha que la envolvía a toda ella. August no lo podía soportar. De pronto se dio cuenta de que su propio aliento tenía aquel mismo sabor rancio.

—¿Dónde te duele, mamá?

Dijo Federico:

—Joder, ¿por qué tiene que venir la abuela Donna a esta casa?

La madre se incorporó, vencida por el deseo de vomitar. Apretó los dientes con fuerza para contener una basca repentina. Siempre se había encontrado indispuesta, pero la suya era siempre una enfermedad sin síntomas, un dolor sin sangre ni magulladuras. El cuarto daba vueltas por culpa de la postración de la madre. Los dos hermanos sintieron el mismo deseo de huir a la cocina, donde había luz y calor. Se marcharon con sensación de culpa.

Arturo estaba con los pies apoyados en los troncos que había sobre la estufa. La gallina muerta yacía en un rincón, un reguero rojo le manaba del pico. Cuando entró María, la miró sin inmutarse. Arturo observaba a Federico y a August, que observaba a la madre. Les desilusionó que no se hubiera enfadado al ver la gallina muerta.

—Todo el mundo a bañarse después de cenar —dijo la madre—. Mañana viene la abuela.

Los hermanos se deshicieron en quejas y gemidos. No había bañera. Bañarse significaba meterse en una tina de lavar, allí mismo, en la cocina, y recibir cubos de agua, sinsabor que Arturo contemplaba con odio en aumento, puesto que estaba creciendo y ya no podía moverse en la tina con libertad.

Svevo Bandini no había hecho más que repetir durante más de catorce años que iba a instalar una bañera. María recordaba el día en que había entrado por primera vez en aquella casa en compañía del marido. Cuando éste le enseñó lo que hiperbólicamente calificó de cuarto de baño, se cuidó de añadir a continuación que la semana siguiente haría poner una bañera. Seguía diciendo lo mismo después de catorce años.

—La semana que viene —decía— me encargaré de la bañera.

La promesa se había convertido en tradición familiar. Los chicos se divertían con ella. Todos los años le preguntaban Arturo o Federico: «Papá, ¿cuándo tendremos bañera?» y Bandini respondía con resolución tajante: «La semana que viene», o bien: «A principios de semana».

Cuando los muchachos se echaban a reír por oírle decir siempre lo mismo, el padre se les quedaba mirando, ordenaba silencio y exclamaba: «¿Qué coño os hace tanta gracia?». Hasta él gruñía y maldecía a la tina de lavar de la cocina cada vez que se bañaba. Los chicos le oían echar pestes contra la suerte que había tenido en la vida, entre violentas manifestaciones.

—¡La semana que viene, juro por Dios que la semana que viene!

María preparaba la gallina para la cena cuando Federico exclamó:

—¡El muslo para mí! —y desapareció tras la estufa con una navaja. Acuclillado sobre la caja de madera de la hornija, se puso a esculpir barcos con los que jugar mientras se bañaba. Talló y amontonó una docena de barcos, grandes y pequeños, madera de sobra ciertamente para llenar la tina hasta la mitad, por no hablar ya del agua que su cuerpo desplazaría. Pero cuantos más mejor: así podría organizar una batalla naval, aunque tuviera que sentarse encima de algún barco.

August estaba encogido en un rincón, estudiando la liturgia en latín que tenían que saber los monaguillos cuando ayudaban a celebrar misa. El padre Andrew le había regalado el devocionario como premio por la notable piedad que manifestaba durante el Santo Sacrificio, piedad que era un triunfo de la pura resistencia física, porque mientras que Arturo, que también era monago, cambiaba siempre de pierna mientras permanecía arrodillado durante los largos servicios de las misas cantadas, o se rascaba, o bostezaba, o se olvidaba de responder a las palabras del sacerdote, August no caía jamás en tamañas impiedades. A decir verdad, August estaba orgullosísimo del récord más o menos oficial que ostentaba en la Asociación de Monaguillos. Por ejemplo: podía permanecer arrodillado y erecto con las manos cruzadas con devoción durante más tiempo que los demás acólitos. Los otros monaguillos admitían sin ambages la superioridad de August en este apartado y ninguno de los cuarenta miembros de la organización estaba interesado en rivalizar con él. Que su resistencia rotuliana, a prueba de reclinatorio, no encontrase con quién contender, incomodaba con frecuencia al campeón.

Aquel fabuloso despliegue de piedad, aquel dominio magistral del arte de ayudar a decir misa, era para María una fuente inagotable de satisfacciones. Cada vez que las monjas o los miembros de la parroquia hablaban de la aptitud ceremonial de August, se le inundaba el alma de felicidad. Jamás faltaba a las misas dominicales en que ayudaba August. Arrodillada en el banco delantero, a los pies del altar mayor, la imagen de su hijo mediano con la sotana y la sobrepelliz la hacía temblar de gozo. El revoloteo de las vestiduras cuando se movía, la exactitud de sus ademanes, el silencio de sus pasos sobre la muelle alfombra roja componían un ensueño, un delirio, un paraíso en la tierra. August sería sacerdote algún día; todo lo demás carecía de sentido; ella sufriría y sería una esclava, se moriría una y mil veces, pero su seno habría dado al Señor un sacerdote, un sacerdote que la santificaría a ella, una elegida, madre de un sacerdote, miembro de la gran familia de la Bienaventurada Virgen María...

Bandini pensaba de otro modo. August era muy piadoso y quería ser cura; bueno. Pero *chi copro!* Mierda negra y jodía, ya arreglaría él aquello. El que sus hijos fueran monaguillos le procuraba más diversión que alborozo espiritual. Las raras ocasiones en que iba a misa y los veía, por lo general el día de Navidad por la mañana, cuando la imponente ceremonia católica alcanzaba su cota más compleja, no podía por menos de reírse por lo bajo al ver a sus tres hijos desfilar por la nave central en procesión solemne. No los veía entonces como a niños consagrados, recubiertos de encajes caros y en comunión profunda con el Todopoderoso; aquella indumentaria por el contrario subrayaba el contraste y él se limitaba a verlos con mayor lucidez, como realmente eran, y no sólo a ellos sino también a los demás muchachos: críos irreverentes y salvajes que llevaban aquella pesada sotana entre incomodidades y picores. La facha de Arturo, estrangulado por un ceñido cuello de celuloide que le llegaba hasta las orejas, con su cara rojiza, pecosa e hinchada, y el odio incontenible que sentía por todo el ritual, hacían que Bandini se riera abiertamente. En cuanto al menor, Federico, la cosa no cambiaba, seguía siendo un demonio a pesar de todos aquellos avíos. A pesar de los seráficos suspiros de las mujeres en sentido contrario, Bandini conocía el aturdimiento, la molestia, el fastidio inaguantable de los muchachos. August quería ser cura; sí, sí; ya arreglaría él aquello. Se haría mayor y se olvidaría de aquellas ocurrencias. Crecería y se haría hombre, o si no, Svevo Bandini le arrancaría la cabezota de cuajo.

María cogió la gallina muerta por las patas. Los chicos se taparon la nariz y salieron corriendo de la cocina cuando la madre la abrió para prepararla.

—El muslo para mí —dijo Federico.

—Ya te oímos antes —dijo Arturo.

Estaba de un humor de perros, la conciencia no paraba de hacerle preguntas relativas a la gallina ejecutada. Había cometido un pecado mortal, ¿o era pecado venial matar a una gallina? Echado en el suelo de la salita, con el calor de la estufa barrigona calentándole el costado, reflexionó con espíritu sombrío a propósito de las tres circunstancias que, según su catecismo, hacían que un pecado fuese mortal: 1) materia grave, 2) advertencia plena, 3) perfecto consentimiento.

La cabeza le dio vueltas en torno de lúgubres fantasías. Recordó la historia que les había contado sor Justina acerca de aquel asesino que las veinticuatro horas del día, despierto y dormido, veía ante sí la cara contraída del hombre al que había matado; la aparición se reía de él y le acusaba, hasta que, al final, el asesino, aterrado, fue a confesarse y rindió cuentas a Dios por el negro crimen que había cometido.

¿Sufriría también él aquella persecución? Ah, gallina alegre y confiada. Una hora antes el animal estaba vivo, en paz con la tierra. Pero ahora estaba muerto, asesinado a sangre fría por su propia mano. ¿Le acosaría la cara de una gallina hasta el fin de su existencia? Miró hacia la pared, parpadeó, tragó saliva. ¡Allí estaba, la gallina muerta le miraba fijamente a la cara mientras cacareaba de un modo maligno! Se puso en pie de un salto, corrió al dormitorio, cerró la puerta con pestillo:

—¡Santísima Virgen María, dame una oportunidad! ¡No quise hacerlo! ¡Juro ante Dios que no sé por qué lo hice! ¡Por favor, gallina bonita! ¡Querida gallina, siento haberte matado!

Y se puso a recitar en tropel Avemarías y Padrenuestros hasta que las rodillas le dolieron, hasta que, tras hacer un cálculo exacto de los rezos, llegó a la conclusión de que cuarenta y cinco Avemarías y diecinueve Padrenuestros satisfacían cualquier contrición que se preciara. Pero un temor supersticioso al número diecinueve le obligó a recitar el Padrenuestro que completaba la veintena. Acto seguido, con el espíritu inquieto aún por la posibilidad de haber sido mezquino, atacó otras dos Avemarías y otros dos Padrenuestros para que no quedase la menor duda de que no era supersticioso y de que no creía en los números, ya que el catecismo hacía hincapié en la reprobación de toda creencia supersticiosa.

Habría podido seguir rezando, pero su madre le llamó para cenar. En el centro de la mesa de la cocina había puesto aquélla una bandeja con los restos fritos de la gallina parda. Federico chillaba y golpeaba el plato con el tenedor. El piadoso August bendecía la mesa con la cabeza gacha. Mantuvo doblada la dolorida nuca hasta un buen rato después de haber acabado la oración, preguntándose por qué su madre no decía nada. Federico dio un codazo a Arturo, se volvió a August y le hizo burla agitando la mano con el pulgar pegado a la nariz. María estaba ante la estufa. Se dio la vuelta con la salsera en la mano y vio a August con la dorada testa inclinada con devoción.

—Mi buen August —dijo con un sonrisa—, ¡Dios te bendiga, hijo mío!

August alzó la cabeza y se santiguó. Pero Federico ya se había lanzado al ataque sobre la bandeja y se había hecho con los dos muslos de la gallina. Mordisqueaba uno de ellos;

el otro lo tenía escondido entre las piernas. Los ojos de August recorrieron la mesa con irritación. Sospechaba de Arturo, que parecía desganado. María tomó asiento entonces. Sin decir palabra, extendió un poco de margarina en una rebanada de pan.

Los labios de Arturo se habían curvado en una mueca mientras observaba a la gallina crujiente y desmembrada. Una hora antes había sido un animal feliz, ignorante del crimen que iba a cometerse. Observó a Federico y la boca que le chorreaba mientras devoraba la carne suculenta. Le dio asco. María empujó la bandeja hacia él.

—Arturo, ¿no comes?

La punta del tenedor del muchacho rebuscó con selectividad fingida. Encontró una presa solitaria, una presa desdichada cuyo aspecto empeoró al ponérsela en el plato: era la molleja. Dios mío, por favor, no permitas que vuelva a tratar mal a los animales. Dio un mordisco receloso. No estaba mal. Tenía un sabor delicioso. Dio otro mordisco. Sonrió. Buscó otros pedazos. Comió con fruición y se puso a buscar los fragmentos más blancos. Recordó dónde había escondido Federico el otro muslo. Metió la mano bajo la mesa y sin que nadie se diese cuenta, lo cogió del regazo de Federico. Cuando hubo devorado el muslo, se echó a reír y arrojó el hueso en el plato del hermano menor. Federico se quedó mirando el hueso y se tanteó el regazo con alarma.

—Te juro que me las pagarás, ladrón —le dijo.

August miró con reprobación a su hermano pequeño, sacudiendo la cabeza rubia. Jurar era pecado; sin duda no era pecado mortal; sin duda sólo venial, pero pecado al fin y a la postre. Aquello le entristecía mucho, pero también se alegraba mucho por no emplear palabras malsonantes como sus hermanos.

No era una gallina grande. La bandeja del centro acabó por vaciarse y cuando no quedaron más que los huesos, Arturo y Federico los abrieron a mordiscos para chuparles la médula.

—Es mejor que papá no haya venido a cenar —dijo Federico—. Habríamos tenido que dejarle una parte.

María miró a los tres con una sonrisa; tenían la cara manchada de salsa y en el pelo de Federico había incluso restos de carne. Se los quitó con la mano y les advirtió que no se portasen mal delante de la abuela Donna.

—Si coméis como lo habéis hecho esta noche, no os regalará nada.

Amenaza inútil. ¡La abuela Donna y sus regalos! Arturo lanzó un gruñido.

—Pero si sólo nos regala pijamas. ¿Para qué quiero yo un pijama?

—Seguro que papá está ya borracho —dijo Federico—. Él y Rocco Saccone.

María cerró el puño, que se puso tirante y blanco.

—El muy animal —dijo—. ¡No lo mientes en esta mesa!

Arturo comprendía el odio que sentía su madre hacia Rocco. María le tenía mucho miedo, se ponía muy agitada cuando estaba cerca. Era incombustible el desprecio que sentía hacia la amistad vitalicia que le unía a Bandini. De pequeños, cuando aún vivían en Los Abruzos, ya eran amigos. Antes de casarse con ella, había compartido con Rocco la amistad de algunas mujeres y cuando éste se presentaba en la casa, los dos bebían y se reían juntos sin motivo aparente, murmuraban unas palabras en un dialecto italiano y estallaban en carcajadas, lenguaje violento de gruñidos y recuerdos, pletórico de alusiones y referencias, aunque insignificante al mismo tiempo y siempre en relación con un mundo desconocido para ella y que jamás podría conocer. Fingía que no le importaba lo que hubiera hecho Bandini antes de casarse, pero aquel Rocco Saccone y la risa obscena que Bandini compartía y con la que disfrutaba componían una suerte de secreto del pasado que ella ansiaba descifrar, poner al descubierto de una vez por todas, pues le parecía que una vez al tanto de los misterios de aquella primera época, el lenguaje privado de Svevo Bandini y Rocco Saccone desaparecería para siempre.

Cuando Bandini estaba fuera, la casa no era la misma. Acabada la cena, los chicos, amodorrados por la comida, se echaron en el suelo de la salita, para disfrutar del calor entrañable de la estufa del rincón. Le echó carbón Arturo y se puso a silbar y a canturrear de alegría, a reír dulcemente cuando los muchachos se tendieron, saciada el hambre, a su alrededor.

María lavaba la vajilla en la cocina, consciente de que había un plato y una taza menos. Al devolverla a la despensa, la desportilladísima taza de Bandini, más grande y maciza que las demás, parecía exhibir un orgullo herido por no haberse utilizado en toda la cena. En el cajón donde guardaba los cubiertos, el cuchillo de Bandini, el preferido de Bandini, el más perverso y afilado de todo el juego, emitió un destello luminoso.

La casa perdió entonces su identidad. Una teja suelta susurraba sarcasmos al viento; los cables de la luz rozaban el soportal trasero, produciendo murmullos despectivos. El mundo de los seres inanimados cobraba voz, charlaba con la casa vieja y la casa parloteaba con deleite confabulado acerca de la insatisfacción que reinaba dentro de sus paredes. Los tablones que había bajo sus pies chillaban de placer infeliz.

Bandini no volvería a casa aquella noche.

La apercepción de que no iba a regresar, el saber que sin duda estaría borracho en alguna parte del pueblo, que se ausentaba adrede, era algo aterrador. Todo lo nauseabundo y dañino que había en la tierra parecía estar al tanto del secreto. Se sentía ya rodeada por las fuerzas de las tinieblas y el terror, que marchaban sobre la casa en formación macabra.

Una vez que estuvieron limpios los platos y en su sitio, despejado el fregadero, barrido el suelo, su jornada acabó de repente. No había ya nada que la ocupase. A lo largo de catorce años había cosido y remendado tanto a la luz amarillenta de las bombillas que los ojos se le negaban a seguir haciéndolo cuantas veces volvía a intentarlo; el dolor de cabeza se apoderaba de ella y tenía que dejarlo hasta el día siguiente.

A veces, cuando las encontraba, hojeaba revistas femeninas; revistas vistosas y elegantes que anunciaban a voz en cuello un paraíso norteamericano para las mujeres: muebles hermosos, hermosos vestidos: mujeres bellas y atractivas que vivían historias de amor con la levadura; mujeres elegantes que discutían sobre papel higiénico. Aquellas revistas, aquellas imágenes, venían a simbolizar una categoría inconcreta: «las norteamericanas». Ella siempre hablaba con temor y respeto de lo que hacían «las norteamericanas».

Creía en aquellas imágenes. Se pasaba horas sentada en la mecedora vieja, junto a la ventana de la salita, hojeando siempre revistas femeninas, humedeciéndose sistemáticamente la punta del índice para volver la página. La convicción de que estaba al margen de aquel mundo de «las norteamericanas» acababa actuando sobre ella como un narcótico.

He allí una faceta suya de la que Bandini se burlaba con resentimiento. Él, por ejemplo, era italiano puro, de una familia campesina atada al terruño desde hacía muchas generaciones. No obstante, ahora que se había nacionalizado, ya no se consideraba italiano. Era norteamericano; a veces le sonaba en la cabeza el timbrecito de la nostalgia y se ponía a manifestar su orgullo de casta entre alaridos; pero a efectos prácticos era norteamericano y cuando María le hablaba de lo que hacían y se ponían «las norteamericanas», cuando sacaba a relucir la actividad de una vecina, «la norteamericana esa que vive más abajo», él se ponía hecho una furia. Porque él era muy sensible a las diferencias de clase y raza, al sufrimiento que comportaban, y estaba resentido con ellas.

Bandini era albañil y para él no había sobre la faz de la tierra una profesión más sagrada. Se podía ser rey, se podía ser conquistador, pero, al margen de lo que se fuese, había que tener una casa; y si se tenía dos dedos de frente, la casa sería de ladrillo; y, como es lógico, construida por un afiliado al sindicato que cobraría el salario mínimo estipulado por el sindicato. Aquello era lo importante.

Pero María, sumida en el mundo fantástico de las revistas femeninas, contemplando entre suspiros las planchas eléctricas, las aspiradoras, las lavadoras automáticas y las cocinas eléctricas, no tenía más que cerrar las páginas de aquel mundo quimérico y mirar a su alrededor: sillas incómodas, alfombras raídas, habitaciones heladas. No tenía más que mirarse la palma de la mano, llena de callos por culpa de la tabla de lavar, para darse cuenta de que después de todo ella no era norteamericana. Nada de ella, ni la cara, ni las manos, ni los pies; ni la comida ni los dientes con que la masticaba: nada de ella, nada en absoluto la emparentaba con «las norteamericanas».

En el fondo de su corazón no necesitaba ni libros ni revistas. Tenía su propia manera de huir, su camino particular hacia la satisfacción: el rosario. Aquella ristra de cuentas blancas, con los diminutos engarces rotos en múltiples lugares y atados con fragmentos de hilo blanco que acababan poco a poco por romperse, era, abalorio tras abalorio, su sosegada fuga del mundo. Dios te salve, María, llena eres de gracia, el Señor es contigo. Y María comenzaba a ascender. Abalorio tras abalorio, la vida y los vivos desaparecían. Dios te salve, María, Dios te salve, María. Un sueño sin ensueño la vencía. Una pasión ajena a la carne la arrullaba. Un amor sin muerte entonaba la melodía de la fe. Estaba lejos: era libre; ya no era María, ni norteamericana ni italiana, ni pobre ni rica, ni con lavadoras automáticas y aspiradoras ni sin ellas; estaba en el reino de los que ya lo tenían todo. Dios te salve, Dios te salve, una y otra vez, mil veces y cien mil veces más, oración tras oración, adormecimiento del cuerpo, fuga del espíritu, muerte de la memoria, espita del dolor, fantasía intensa y muda de la fe. Dios te salve María y Dios te salve. Era su única razón de vivir.

Aquella noche, el tránsito ensartado de la fuga, la alegría que el rosario le procuraba, le bullía en la cabeza mucho antes de apagar la luz de la cocina y entrar en la salita, en cuyo suelo yacían los hijos que roncaban amodorrados. Federico había comido con exceso. Dormía ya como un lirón. Yacía con la cara vuelta, la boca abierta totalmente. August, boca abajo, contemplaba con faz inexpresiva la boca de Federico y pensaba que, cuando le ordenasen sacerdote, obtendría a buen seguro una parroquia con mucho dinero y cenaría pollo todas las noches.

María se dejó caer en la mecedora que había junto a la ventana. El conocido crujido de las rodillas maternas hizo que Arturo se encogiese con talante enojado. La madre sacó el rosario del bolsillo del delantal. Cerró los ojos negros y se le movieron los labios cansados, murmullo audible e intenso.

Arturo se dio la vuelta y observó la cara de su madre. La cabeza le iba a toda velocidad. ¿Le interrumpiría para pedirle diez centavos para el cine o ahorraría tiempo y problemas yendo directamente al dormitorio y robándoselos? No había peligro de que le sorprendieran. Una vez que la madre se ponía a rezar el rosario, no abría los ojos hasta que lo acababa. Federico dormía y en cuanto a August, era demasiado beato y memo para enterarse de lo que pasaba en el mundo. Se puso en pie y se desperezó.

—Aoooooh. Voy a buscar un libro.

Ya en la congelada oscuridad del dormitorio materno, levantó el colchón por la parte de los pies. Tanteó las escasas monedas que había en el bolso raído, de céntimo y cinco céntimos, pero hasta el momento ninguna de diez. Los dedos se le cerraron entonces alrededor de la parvedad conocida y delgada de una moneda de diez céntimos. Puso el bolso en su sitio, entre dos muelles, y escuchó si había ruidos sospechosos. A continuación, silbando a todo meter y pisando fuerte, entró en su cuarto y cogió el primer libro de la cómoda que tuvo al alcance de la mano.

Volvió a la salita y se tumbó en el suelo, al lado de

August y Federico. El fastidio se le dibujó en la cara cuando advirtió qué libro había cogido. Era la vida de santa Teresita del Niño Jesús. Leyó la primera línea de la primera página. «Cuando vaya al cielo, sólo me dedicaré a hacer el bien en la tierra.» Cerró el libro y se lo pasó a August.

—¡Uf! —exclamó—. No tengo ganas de leer. Me voy a ver si los amigos están patinando en la montaña.

Los ojos de María siguieron cerrados, pero curvó los labios un poco para indicar que había oído y que aprobaba el plan. A continuación movió la cabeza despacio, de izquierda a derecha. Era su manera de decir que no volviese tarde.

—De acuerdo —dijo Arturo.

Caliente y lleno de impaciencia bajo los jerseis ajustados, recorrió Walnut Street a la carrera unas veces, al paso otras, cruzó las vías, llegó a la Calle Doce, donde atajó por la estación de servicio de la esquina, cruzó el puente, cruzó el parque a todo correr porque el bulto negro de los álamos le daba miedo, y menos de diez minutos más tarde se encontraba jadeando bajo la marquesina del Cine Isis. Como suele suceder en los pueblos pequeños, unos cuantos muchachos de su edad holgazaneaban ante el cine, sin dinero, esperando con mansedumbre a que la bondad del encargado de los acomodadores les permitiera, o no, según el humor con que estuviese, entrar gratis bastante después de comenzada la última película de la noche. También él había estado muchas veces allí, pero aquella noche tenía diez centavos y con una sonrisa campechana dirigida a los pequeños parásitos, sacó la entrada y se coló en el interior.

Eludió al acomodador uniformado que le hizo señas con el dedo y anduvo solo por la oscuridad. Primero se sentó en la última fila. Cinco minutos más tarde avanzó dos filas. Un instante después volvía a mudarse. Poco a poco, a rachas de dos o tres filas, se fue acercando a la pantalla resplandeciente, hasta que por fin estuvo en la mismísima primera fila y no pudo seguir adelante. Y allí se quedó, con el cuello en tensión y la nuez de Adán sobresaliéndole, obligado casi a mirar hacia el techo para ver las andanzas de Gloria Borden y Robert Powell en *Idilio en el río.*

El hechizo de aquella droga de celuloide se apoderó de él en el acto. Estaba convencido de que su cara tenía un notable parecido con la de Robert Powell y no menos seguro de que la faz de Gloria Borden tenía una semejanza sorprendente con la de su maravillosa Rosa: con lo que se sintió totalmente cómodo y a gusto, se reía a mandíbula batiente de los ingeniosos comentarios de Robert Powell y se estremecía de voluptuosidad cada vez que Gloria Borden se ponía melosa y apasionada. Robert Powell perdió poco a poco su identidad y se convirtió en Arturo Bandini y Gloria Borden su metamorfoseó paulatinamente en Rosa Pinelli. Tras el espantoso accidente de avión en que Rosa acababa en la mesa de operaciones sin que nadie, salvo Arturo Bandini, pudiese llevar a cabo la operación urgente de la que dependía la vida de la joven, el muchacho de la primera fila se echó a temblar. ¡Pobre Rosa! Las lágrimas le corrían por las mejillas y se secó la nariz goteante frotándosela con impaciencia con la manga del jersei.

No obstante, sabía, tenía la intuición de que el joven doctor Arturo Bandini realizaría un milagro médico, que, como era de esperar, ¡oh cielos, se realizó! Antes de enterarse de lo que pasaba, el guapo médico estaba besando a Rosa; era primavera, el mundo era hermoso. De pronto, sin la menor advertencia previa, se acabó la película y Arturo Bandini, llorando y sollozando, permaneció en la primera fila del Cine Isis, turbado hasta lo indecible y angustiado por haberse conducido como un gallina. Todos los usuarios del Isis le miraban. Estaba convencido, ya que era innegable que él y Robert Powell se parecían como dos gotas de agua.

Los efectos del estupor se le fueron pasando poco a poco. Las luces se habían encendido, la realidad había regresado y miró a su alrededor. No había nadie en diez filas a la redonda. Miró atrás, hacia la masa de caras pálidas y exangües del centro y parte trasera del cine. Sintió una descarga eléctrica en el estómago. Contuvo la respiración con pavor espasmódico. En medio de aquel pequeño mar de insulsez, un rostro refulgía igual que un diamante alrededor de unos ojos de belleza cegadora. ¡Era el semblante de Rosa! ¡Y hacía apenas unos momentos que la había salvado en el quirófano! Pero todo era una mentira desconsoladora. Él estaba allí, único espectador de las diez primeras filas de asientos. Agachándose hasta que la frente le quedó casi oculta, se sintió igual que un ladrón, un criminal, mientras echaba miradas furtivas a aquel rostro embriagador. ¡Rosa Pinelli! Estaba sentada entre su padre y su madre, dos italianos gordos como toneles, de papada doble, casi en la última fila del cine. Ella no le podía ver; estaba seguro de que había demasiada distancia para que le reconociese, a pesar de que sus ojos la salvaban sin dificultad y la contemplaban milímetro a milímetro, veían los rizos sueltos que le sobresalían por debajo del sombrero, las cuentas oscuras que le circundaban el cuello, sus dientes tachonados de estrellas. ¡De modo que también ella había visto la película! Los ojos negros y risueños de Rosa lo habían visto todo. ¿Habría advertido el parecido que había entre él y Robert Powell?

No: en realidad no había ningún parecido; en realidad no. No era más que una película, y él estaba en primera fila, tenía calor y se dio cuenta de que sudaba. Tuvo miedo de tocarse el pelo, miedo de levantar la mano y de echarse el pelo hacia atrás. Sabía que lo tenía erizado y despeinado como la cizaña. La gente lo reconocía siempre porque tenía un pelo rebelde que el peine no doblegaba nunca y porque siempre lo tenía demasiado largo. Puede que Rosa le hubiera descubierto ya. Ah, ¿por qué un pelo que no podía peinarse? ¿Por qué se olvidaba siempre de cosas así? Se fue encogiendo mientras echaba miradas furtivas hacia lo alto para ver si el pelo le sobresalía del respaldo del asiento. Con cuidado, centímetro a centímetro, alzó la mano para alisarse el cabello. Pero no pudo. Tenía miedo de que la muchacha viera la mano.

Cuando las luces volvieron a apagarse, respiró de alivio. Pero al comenzar la segunda película se dio cuenta de que tenía que irse. Se apoderó de él una vergüenza inconcreta, una especie de conciencia de que llevaba jerseis viejos, de que llevaba la ropa que llevaba, el recuerdo de Rosa riéndose de él, el temor de que, a menos que se fuese furtivamente en aquellos momentos, pudiese coincidir con ella en el vestíbulo cuando abandonara el cine con sus padres. No soportaba la idea de encontrarse con éstos. Sus ojos se cernerían sobre él; los ojos de Rosa se agitarían de hilaridad. Rosa lo sabía todo de él; cada pensamiento y hazaña. Rosa sabía que le había robado una moneda de diez centavos a su madre, que tenía necesidad de ella. Rosa le miraría y lo sabría. Tenía que vencer el miedo; o salir de allí; podía suceder cualquier cosa; las luces podían encenderse otra vez y verle ella; tal vez se declarase un incendio; podía suceder cualquier cosa; tenía que levantarse e irse, así de sencillo. Podía estar con Rosa en un aula, o en el patio del colegio; pero aquello era el Cine Isis y él parecía un mísero vagabundo con aquellos harapos que lo diferenciaban de todos los demás, y había robado el dinero: no tenía derecho a estar allí. Si Rosa le veía, leería en su cara que había robado el dinero. Sólo diez centavos, sólo un pecado venial, pero pecado, se mirara como se mirase. Se puso en pie y recorrió el pasillo con pasos largos, rápidos y silenciosos, la cara vuelta hacia un lado, la mano ocultándole la nariz y los ojos. Cuando llegó a la calle, el frío aterrador de la noche le atacó de frente como con un látigo y echó a correr, el viento horadándole la cara, suscitándole pensamientos nuevos y atrevidos.

Al doblar por el camino que conducía al soportal de su casa, el perfil de la madre en la ventana hizo que la tensión que se le había acumulado en el alma saliera con fuerza a la superficie; la piel se le rompió y pulverizó como una ola y en un arrebato se echó a llorar, emergió la culpa, y ésta le inundó y rodeó por todas partes. Abrió la puerta y se encontró en el interior de su propia casa, en el calor de su casa, que se le antojó intenso y delicioso. Sus hermanos se habían ido a dormir, ¡pero María no se había movido y supo que no había abierto los ojos mientras los dedos, con ciega convicción, daban vueltas a la interminable circunferencia de abalorios. Cielos, qué formidable, qué buen aspecto tenía su madre. ¡Mátame, Señor, porque soy un cerdo, ella una santa y yo debo perecer! Mírame, mamá, porque te he robado los diez centavos y tú sigues rezando. Mátame, mamá, con tus propias manos.

Cayó de rodillas y se abrazó a ella aterrado, jubiloso y culpable. La mecedora se sacudió a instancias de sus sollozos, las cuentas tintinearon en las manos maternas. La madre abrió los ojos y le sonrió, sus dedos delgados le acariciaron el pelo con dulzura y pensó que el muchacho necesitaba ir a la peluquería. Los sollozos filiales satisficieron a la madre como si se tratara de caricias, la inundaron de una ternura que se centró en las cuentas del rosario, de un sentimiento que fundía en una sola unidad las cuentas y los sollozos.

—Mamá —balbuceó el muchacho—. He hecho una cosa.

—No te preocupes —le dijo la madre—. Ya lo sé.

La respuesta le sorprendió. ¿Cómo lo sabía? Había birlado la moneda con pericia de maestro. Había engañado a su madre, y a August, y a todos. Los había engañado a todos.

—Rezabas el rosario y no quise molestarte —mintió el muchacho—. No te quise interrumpir en mitad del rosario.

—¿Cuánto cogiste? —le preguntó ella con una sonrisa.

—Diez centavos. Pude colgerlo todo, pero sólo cogí diez centavos.

—Lo sé.

Se sintió molesto.

—Pero *¿cómo* lo sabes? ¿Me viste acaso?

—El agua de la tina está caliente —dijo la madre—. Date un baño.

Arturo se incorporó y comenzó a quitarse los jerseis.

—¿Cómo lo sabías? ¿Me viste? ¿Me espiabas? Creí que cuando rezabas el rosario siempre tenías cerrados los ojos.

—¿Cómo no voy a saberlo? —dijo la madre sin dejar de sonreír—. Siempre me coges monedas de diez centavos del monedero. Eres el único que lo hace. Lo sé siempre. ¡Bueno, me doy cuenta, lo adivino por tu forma de andar!

Se desató los zapatos y se los quitó de una sacudida. Qué lista era su madre a pesar de todo. ¿Y si la próxima vez se quitaba los zapatos y entraba descalzo en el dormitorio? Meditó la nueva táctica con detenimiento al entrar desnudo en la cocina.

Le fastidió que el suelo de la cocina estuviese encharcado y frío. La de Dios habían organizado sus hermanos allí. Sus ropas estaban esparcidas y una tina estaba llena de agua grisácea y jabonosa y de bloques de madera: los acorazados de Federico.

Hacía demasiado frío para bañarse aquella noche. Resolvió fingir que lo hacía. Llenó una tina de agua, cerró la puerta de la cocina, sacó un ejemplar de *Scarlet Crime* y sentado desnudo en la caliente escotilla de la estufa y con los pies chapoteando en la tina, se puso a leer «Un asesinato inútil». Cuando hubo leído lo que le pareció que duraba normalmente un baño de verdad, escondió *Scarlet Crime* en el soportal trasero, se mojó el pelo concienzudamente con la palma de la mano, se frotó la piel seca con una toalla hasta que se le puso de un rosa subido y entró en la salita corriendo y tiritando. María le observó mientras se acuclillaba junto a la estufa, se frotaba el pelo con la toalla y gruñía sin parar a propósito de la poca gracia que le hacía bañarse en lo más crudo del invierno. Al dirigirse a la cama se felicitó por la soberbia ejecución de aquella obra maestra del fingimiento. María no dejaba de sonreírle. Alrededor del cuello, al cruzar el umbral, le vio la madre un cerco de mugre que le destacaba como un alzacuello negro. Pero no dijo nada. Era cierto que aquella noche hacía demasiado frío para bañarse.

Sola por fin, apagó las luces y siguió rezando. Escuchaba de vez en cuando los ruidos de la casa en medio de sus ensueños. La estufa suspiró, se quejó pidiendo más combustible. Por la calle pasaba un hombre fumando en pipa. Lo observó, sabiendo que no podía verla en la oscuridad. Lo comparó con Bandini; era más alto, pero al andar le faltaba la vehemencia de Svevo. Le llegó del dormitorio la voz de Federico, que hablaba en sueños. Arturo, a continuación, que murmuraba soñoliento: «¡Venga, cállate ya!». Pasó otro hombre por la calle. Gordo, brotándole de la boca un vaho que se esparcía por el aire frío. Svevo era mucho más apuesto que aquel individuo; gracias a Dios, Svevo no era gordo. Pero no tenía que distraerse. Dejar que pensamientos caprichosos le interrumpieran las oraciones era un sacrilegio. Cerró los ojos con fuerza y confeccionó una lista mental de cosas que tenía que consultar con la Bienaventurada Virgen María.

Rezó por Svevo Bandini, rezó porque no se emborrachara demasiado y cayese en manos de la policía, como le había sucedido cierta vez, antes de casarse. Rezó porque se mantuviera apartado de Rocco Saccone y porque Rocco Saccone estuviera lejos de él. Rezó por la aceleración del tiempo, porque la nieve se derritiese y en Colorado fuese primavera muy pronto, porque Svevo tuviera trabajo otra vez. Rezó por una Navidad feliz y por el dinero. Rezó por Arturo, porque dejase de robar monedas de diez centavos, y por August, porque fuese sacerdote, y por Federico, porque fuera un buen muchacho. Rezó porque todos ellos tuviesen ropa que ponerse, dinero para pagar en la tienda, y por el alma de los muertos, por el alma de los vivos, por el mundo, por los enfermos y moribundos, por los pobres y los ricos, porque se le concediera valor y fuerza para soportarlo todo, y porque se le perdonaran las equivocaciones que cometía.

Rezó una oración larga y ferviente porque la visita de Donna Toscana fuese breve, porque no sembrase demasiada discordia y porque Svevo Bandini y su madre entablasen algún día una relación cordial y pacífica. Esta oración postrera fue casi desesperada y ella lo sabía. Cómo podía disponer la madre de Cristo el cese de las hostilidades entre Svevo Bandini y Donna Toscana era un misterio que sólo el Cielo sabía. Siempre la turbaba llamar la atención de la Virgen Santísima respecto de aquel problema. Era como pedir a la luna un broche de plata. Al fin y al cabo, la Virgen Bendita le había concedido ya un marido honrado y trabajador, tres hijos cariñosos y simpáticos, una buena casa, una salud inquebrantable y fe en la misericordia divina. Pero que hubiera paz entre Svevo y su suegra... bueno, había peticiones que desbordaban incluso la generosidad del Todopoderoso y de la Santísima Virgen María.

Donna Toscana llegó el domingo a mediodía. María y los niños estaban en la cocina. La queja que emitieron los tablones del soportal cuando puso el pie encima les reveló que se trataba de la abuela. En la garganta de María se formó una bola helada. Donna abrió la puerta sin llamar y asomó la cabeza. Sólo hablaba en italiano.

—¿Está... el cerdo de los Abruzos?

María echó a correr y se arrojó en brazos de su madre. Donna Toscana era una mujer voluminosa que vestía siempre de negro desde la muerte del marido. Llevaba enaguas debajo de la seda negra exterior, cuatro enaguas, todas de colores chillones. Sus tobillos hinchados semejaban otros tantos cuellos afectados por el bocio. Sus zapatos diminutos parecían a punto de reventar bajo el peso de sus ciento veinte kilos. En el pecho parecían apretujársele, no dos, sino una docena de senos. Tenía la complexión de una pirámide, exenta de caderas. En los brazos tenía abundancia de carne que le colgaba, no hacia abajo, sino en ángulo, y los dedos hinchados le pendían como morcillas. Carecía de cuello prácticamente. Cuando giraba la cabeza, la carne colgante se movía con la melancolía de la cera derretida. Por entre el ralo pelo canoso se le veía un cuero cabelludo de color rosado. Tenía una nariz delgada y elegante, pero sus ojos parecían dos granos pisoteados de uva bodocal. Cada vez que hablaba, la dentadura postiza, de manera involuntaria, se ponía a chapurrear un idioma privado.

María cogió el abrigo y Donna se quedó en mitad de la estancia, la olisqueó y con los temblores de la grasa del cuello dio a entender a la hija y los nietos que el olor que analizaban sus aletas nasales era pestilente y nauseabundo. Los muchachos, recelosos, se pusieron también a olisquear. De pronto, la casa adquirió un olor que no habían advertido nunca. August pensó en las molestias renales que le habían aquejado dos años antes y se preguntó si, al cabo de dos años, el olor seguiría allí.

—Hola, abuela —dijo Federico.

—Tienes los dientes negros —dijo la mujer—. ¿Te los lavaste esta mañana?

Desapareció la sonrisa de Federico y con el dorso de la mano se cubrió los labios al tiempo que bajaba los ojos. Apretó la boca y tomó la resolución de ir al cuarto de baño para mirarse en el espejo en cuanto pudiese. Era curioso que los dientes le supieran en efecto a negrura.

La abuela seguía olisqueando.

—Pero ¿qué peste es ésa? —preguntó—. ¿Seguro que vuestro padre no está en casa?

Los chicos entendían el italiano porque Bandini y María lo hablaban con frecuencia.

—No, abuela —dijo Arturo—. No está en casa.

Donna Toscana metió la mano en el laberinto de pechos y sacó el monedero. Lo abrió y con la punta de los dedos sacó una moneda de diez centavos, que mantuvo en alto.

—Vamos a ver —dijo con una sonrisa—. ¿Cuál de mis tres nietos dice menos mentiras? Al que me diga la verdad le daré estos *deci soldi.* Decidme en seguida: ¿está borracho vuestro padre?

—Ah, *mamma mia* —dijo María—. ¿Por qué preguntas esas cosas?

Sin mirarla siquiera, la abuela le replicó:

—Silencio, mujer. Es un juego para los chicos.

Los muchachos se consultaron con la mirada: guardaban silencio, deseosos de traicionar a su padre, aunque no lo suficiente. La abuela era una tacaña, pero sabían que tenía el monedero lleno de monedas de diez centavos y que cada una premiaría un dato informativo sobre papá. ¿Podían hacer caso omiso de aquella pregunta y esperar a la siguiente, a otra menos infamante para papá, o tenían que contestarlas una tras otra? Porque no era cuestión de decir la verdad: aunque papá no estuviese borracho. La única manera de ganar la moneda de diez centavos era responder como la abuela quería.

María se desesperaba. Donna Toscana tenía una lengua de víbora, siempre dispuesta a hacer de las suyas en presencia de los niños: episodios medio olvidados de la infancia y juventud de María, cosas que prefería que sus hijos no supieran para que su dignidad no acabase por los suelos: insignificancias que podían utilizar en contra de él. Donna Toscana ya las había sacado a relucir en otras ocasiones. Los muchachos sabían ya que su madre había sido la tonta del colegio porque se lo había contado la abuela. Sabían ya que su madre había jugado a papás y mamás con niños negros y que por ello le habían dado una paliza. Que su madre había vomitado en el coro de Santo Domingo en el curso de una tórrida misa cantada. Que su madre, al igual que August, se había meado en la cama de pequeña, pero que, a diferencia de August, a ella se la obligaba a lavar el camisón. Que su madre se había escapado de casa y que la policía la había encontrado y devuelto (en realidad no se había escapado, sólo se había perdido, pero la abuela insistía en que se había escapado). Y más cosas aún. De pequeña se negaba a trabajar y la encerraban durante horas en la bodega. Nunca fue, nunca sería una buena cocinera. Cuando nacieron sus hijos, chillaba como una hiena. Era una idiota, de lo contrario jamás se habría casado con un sinvergüenza como Svevo Bandini...; además, carecía de amor propio, ¿por qué, si no, vestía siempre con harapos? Sabían que la mamá era una pusilánime que se dejaba dominar por el cerdo de su marido. Que la mamá era una cobarde que debería haber mandado a la cárcel a Svevo Bandini hacía mucho tiempo. Así que más valía no provocar a su madre. Más valía recordar el Cuarto Mandamiento y respetar a su madre para que sus propios hijos, sin ir más lejos, la respetasen a ella.

—Y bien —repitió la abuela—. ¿Está borracho?

Silencio prolongado.

Federico, en aquel punto:

—Puede que sí, abuela. Pero no lo sabemos.

—*Mamma mia* —exclamó María—. Svevo no está borracho. Está fuera por asuntos de trabajo. Volverá de un momento a otro.

—Oíd, oíd a vuestra madre —dijo Donna—. No limpiaba la taza del retrete ni cuando tenía edad suficiente para saber estas cosas. ¡Y ahora quiere convencerme de que el perdido de vuestro padre no está borracho! ¡Pero lo está! *¡Borracho!* ¿Verdad, Arturo? Rápido: por *deci soldi.*

—No lo sé, abuela. De verdad.

—¡Bah! —le espetó la mujer—. ¡Hijos idiotas de una madre idiota!

Les tiró unas monedas a los pies. Se arrojaron sobre ellas como salvajes, peleándose y revolcándose por el suelo. María contemplaba el retorcido revuelo de brazos y piernas. Donna Toscana cabeceó con tristeza.

—Y encima sonríes —dijo—. Se despedazan como animales y su madre se queda tan pancha y sonriendo. ¡Ay, pobre Norteamérica! ¡Ay, Norteamérica, tus hijos se harán pedazos entre sí y morirán como bestias sedientas de sangre!

—Pero *mamma mia,* son sólo unos niños. No se hacen daño.

—¡Ay, pobre Norteamérica! —exclamó Donna—. ¡Pobre e indefensa Norteamérica!

Se puso a husmear por la casa. María había preparado el terreno: había limpiado alfombras y suelos, quitado el polvo a los muebles y sacado brillo a las estufas. Pero un trapo del polvo no quita las manchas de un techo con goteras; una escoba no hace desaparecer los puntos raídos de una alfombra; el agua y el jabón no quitan las huellas omnipresentes de los niños: las manchas oscuras en derredor del pomo de las puertas, las manchas de grasa que de pronto aparecen por aquí y por allá; un nombre infantil garabateado con torpeza; dibujos improvisados para jugar al tres en raya; huellas de pies en la parte inferior de las puertas, fotos de calendario que criaban bigote de la noche a la mañana; un zapato que María había guardado en el armario no hacía ni diez minutos; un calcetín; una toalla; un trozo de pan con jamón en la mecedora.

María había trabajado y hecho advertencias durante horas: así se le pagaba. Donna Toscana iba de cuarto en cuarto con mueca de repugnancia en el rostro. Comprobó la habitación de los niños: la cama hecha con escrupulosidad y rematada con una colcha azul que olía a naftalina; advirtió las cortinas recién planchadas, el reluciente espejo de la cómoda, la alfombra raída junto a la cama, todo en su lugar exacto, todo con la impersonalidad de un monasterio, y debajo de la silla del rincón... unos calzoncillos sucios de Arturo, enviados allí de un puntapié, y extendidos como la sección de un cuerpo infantil que hubiesen partido en dos con una sierra.

La anciana alzó las manos al cielo y se lamentó.

—No tiene remedio —dijo—. ¡Qué mujer! ¡Ay, Norteamérica!

—Bueno, no sé cómo habrán venido a parar aquí —dijo María—. Los niños siempre son muy cuidadosos.

Cogió la prenda y se la guardó aprisa bajo el delantal, los ojos fríos de Donna Toscana fijos en ella durante un minuto largo.

—Eres una inútil. Una mujer inútil e indefensa.

Toda la tarde fue lo mismo, el inagotable cinismo de Donna Toscana humillándola y abatiéndola. Los chicos se habían ido con las monedas a la tienda de caramelos. Como había pasado más de una hora y no volvían, Donna se quejó de la escasa autoridad de María. Cuando volvieron, la cara de Federico llena de chocolate le hizo poner el grito en el cielo igualmente. Una hora después de que volvieran, se quejó de que hacían demasiado ruido y María les dijo que se marcharan. Cuando se hubieron ido, profetizó que, con la nieve que había, cogerían una gripe de muerte. María le preparó una taza de té. Donna chascó la lengua y determinó que le había salido flojo. María, armada de paciencia, consultó el reloj que pendía sobre la estufa. Al cabo de dos horas, a las siete en punto, se marcharía su madre. El tiempo se detuvo, cojeó, se arrastró con impotencia.

—Pareces enferma —dijo Donna—. ¿Por qué se te han ido los colores de la cara?

María se pasó la mano por el pelo.

—Estoy bien —dijo—. Todos estamos bien.

—¿Dónde está? —dijo Donna—. El perdulario ése.

—Trabajando, *mamma mia.* Ha encontrado otro trabajo.

—¿En domingo? —dijo con burla su madre—. ¿Cómo sabes que no está por ahí con alguna *puttana*?

—¿Por qué dices eso? Svevo no es de esa clase de hombres.

—El hombre con quien te casaste es un bruto y un animal. Pero se casó con una imbécil y mucho me temo que no se llevará nunca su merecido. ¡Ay, Norteamérica! Sólo en esta tierra corrupta podían ocurrir tales cosas.

Mientras María preparaba la cena, su madre se sentó con los codos en la mesa, la barbilla en las manos. El menú se compondría de espaguetis y albóndigas. Hizo que María limpiase la cacerola de la pasta con agua y jabón. Exigió que le enseñase la caja alargada de los espaguetis y la observó con atención, en busca de las señales que dejaban los ratones. No había frigorífico en la casa, la carne se guardaba en el aparador del soportal trasero. Era un filete de tapa, picado para hacer las albóndigas.

—Trae aquí —dijo Donna.

María le puso la carne delante. La probó con la punta del dedo.

—Me lo imaginaba —dijo con el ceño fruncido—. Está podrida.

—¡Es imposible! —dijo María—. Si la compré anoche mismo...

—Los carniceros reconocen siempre a las imbéciles.

La cena se retrasó media hora porque Donna quiso que María lavara y secara los platos que ya estaban limpios. Llegaron los chicos, muertos de hambre. Les ordenó que se lavaran manos y cara, y que se pusieran camisa limpia y corbata. Se pusieron a gruñir y Arturo murmuró «Vieja pelleja» mientras se anudaba una corbata detestable. Cuando por fin estuvo todo listo, la cena se había enfriado. Los chicos se la comieron de todos modos. La anciana comía con indiferencia los escasos espaguetis que tenía delante. No le gustaron y apartó el plato.

—Todo está mal cocinado —dijo—. Los espaguetis saben a estiércol.

Federico se echó a reír.

—Pues a mí me gustan.

—¿Quieres alguna otra cosa, *mamma mia*?

—¡No!

Después de la cena, mandó a Arturo a la estación de servicio para que le pidiera un taxi por teléfono. Después se marchó, discutiendo con el taxista para que le rebajara a veinte centavos los veinticinco que costaba ir a la estación del ferrocarril. Cuando se hubo ido, Arturo se metió una almohada bajo la camisa, se ató un delantal alrededor y anduvo como pisando huevos por la casa, olisqueándolo todo con expresión displicente. Pero no se rió nadie. Nadie se interesó.

4

SIN Bandini, ni dinero, ni comida. Si Bandini estuviera en casa diría «Póngalo en la cuenta».

Lunes por la tarde, sin Bandini aún, ¡y aquella factura de la tienda! María no podía olvidarla en ningún momento. Igual que un fantasma incansable volvía aterradores los días del invierno.

La tienda del señor Craik estaba al lado mismo de la casa de Bandini. Durante la primera época de casado, Bandini había abierto una cuenta en el establecimiento del señor Craik. Al principio pagaba las facturas puntualmente. Pero a medida que los niños crecían y pedían más comida, y a un mal año le seguía un año malo, la cuenta aumentaba hasta alcanzar cifras escandalosas. Desde que contrajera matrimonio, cada año que pasaba le iban peor las cosas a Bandini. ¡Dinero! Después de quince años de casado había acumulado tantas facturas que hasta Federico sabía que no tenía ni intención ni posibilidad de pagarlas.

Pero la cuenta de la tienda le atormentaba. Cuando debía al señor Craik cien dólares, le pagaba cincuenta; si los tenía. Cuando le debía doscientos, le pagaba setenta y cinco; si los tenía. Así se conducía Bandini con todas sus deudas. No había en ellas nada misterioso. No había motivos ocultos, ningún deseo de estafar a nadie. Ningún presupuesto las podía evitar. Ninguna economía planificada podía modificarlas. Era muy sencillo: la familia Bandini gastaba más dinero del que ganaba. Svevo sabía que su única solución era una racha de buena suerte. La incesante seguridad de que esta racha estaba al caer le impedía renunciar del todo y saltarse la tapa de los sesos. Amenazaba continuamente con ambas cosas, pero no hacía ninguna. María no sabía amenazar. Era ajeno a su naturaleza.

Pero el señor Craik, el tendero, se quejaba todos los días. Nunca había confiado del todo en Bandini. Si la familia Bandini no hubiera vivido al lado mismo de la tienda, donde podía vigilarla, y si últimamente no hubiera tenido el presentimiento de que iba a percibir por lo menos buena parte del dinero que se le debía, habría dejado de fiarle. Simpatizaba con María y se compadecía de ella con esa lástima fría que los pequeños empresarios manifiestan hacia los pobres en general y con la gélida apatía autodefensiva que ostentan cuando los tratan personalmente, uno por uno. Es que, Dios mío, también él tenía facturas que pagar.

Ahora que subía a tanto la cuenta de Bandini —cada invierno daba unos saltos pavorosos—, injuriaba a María, la ofendía incluso. Sabía que ella era honrada hasta llegar a la inocencia infantil, aunque no parecía importarle cuando entraba en el establecimiento para aumentar la cuenta. ¡Como si la tienda fuera suya! Él estaba allí para vender artículos, no para regalarlos. Negociaba con mercancías, no con sentimientos. Se le debía dinero. Y el crédito que concedía a María era un crédito extra. Era inútil que exigiera el pago de la deuda. Lo único que podía hacer era acosarla hasta obtenerlo. Dadas las circunstancias, era la mejor actitud que podía adoptar.

Para entrar todos los días en el establecimiento, María tenía que hacer de tripas corazón. Bandini no hacía caso de los sufrimientos que pasaba ante el señor Craik.

Cárguelo en la cuenta, señor Craik, cárguelo en la cuenta.

Toda la tarde y hasta una hora antes de la cena, María se paseaba por la casa en impaciente espera de la inspiración que tanto necesitaba para dirigirse a la tienda. Iba a la ventana y se quedaba allí con las manos metidas en los bolsillos del delantal, una de ellas apretando el rosario; esperando. Ya lo había hecho antes, dos días antes tan sólo, el sábado, y el día anterior, y todos los días precedentes, en primavera, en verano, en invierno, año tras año. Pero a fuerza de abusar de su propia valentía, ésta se le había dormido y no quería despertar. Ya no podría volver a aquella tienda, a dar la cara a aquel hombre.

Desde la ventana, a la luz pálida del atardecer invernal, vio a Arturo al otro de la calzada en compañía de un grupo de chicos del vecindario. Habían entablado una batalla de bolas de nieve en el descampado. Abrió la puerta.

—¡Arturo!

Lo llamaba porque era el mayor. Él la vio en el umbral. Una oscuridad blanca. Sombras densas se deslizaban aprisa por la nieve láctea. Las farolas de la calle brillaban con frialdad, resplandor frío en medio de una neblina más fría aún. Pasó un automóvil con rechinar lúgubre de cadenas antinieve.

—¡Arturo!

Sabía lo que quería su madre. Los dientes le rechinaron de fastidio. *Sabía* que su madre deseaba que fuese a la tienda. Era una cagona, una mierda seca que, temerosa de Craik, le cargaba a él el muerto. Su voz poseía el trémolo característico que le aparecía cuando había que ir a la tienda. Trató de escabullirse fingiendo que no la había oído, pero ella siguió llamándole hasta que a él se le pusieron los nervios de punta, y los demás chicos, paralizados por el temblor de su voz, dejaron de tirarse bolas de nieve y se le quedaron mirando como si le rogaran que hiciese algo.

Tiró él la última bola de nieve, la vio reventar y echó a andar con fatiga por la nieve y por la calzada helada. Entonces pudo ver a su madre con claridad. Los dientes le castañeteaban a causa del frío del ocaso. Se abrazaba el cuerpecillo frágil con fuerza y removía los dedos de los pies para mantenerlos en calor.

—¿Qué quieres? —dijo Arturo.

—Hace frío —dijo la madre—. Entra y te lo diré.

—Venga, mamá, ¿qué pasa? Tengo prisa.

—Quiero que vayas a la tienda.

—¿A la tienda? ¡No! Ya sé por qué quieres que vaya yo: porque tú tienes miedo por el dinero que debemos. Pues no pienso ir. Nunca.

—Ve, por favor —dijo la madre—. Eres bastante mayor para entenderlo. Ya conoces al señor Craik.

Y tanto que lo conocía. Detestaba a Craik, a aquel hediondo que no hacía más que preguntarle si su padre estaba borracho o sobrio, y qué hacía con su dinero, y cómo podéis vivir los Macarroni sin un duro, y por qué el viejo no está nunca en casa por la noche, y si se ha liado con alguna tía circunstancial que le vacía los bolsillos. Conocía al señor Craik y no lo aguantaba.

—¿Por qué no va August? —replicó—. Todo tengo que hacerlo yo, hostia. ¿Quién va por carbón y por leña? Yo. Siempre. Que vaya August.

—August no irá. Tiene miedo.

—Bobadas. Es un cobarde. ¿De qué hay que tener miedo? ¿Eh? Mira, yo no voy a ir.

Se dio la vuelta y volvió despacio con los chicos. La batalla de bolas de nieve se reanudó. En el bando contrario estaba el hijo del tendero, Bobby Craik. Te voy a dar en toda la cara, so cerdo. María volvió a llamarle desde el soportal. Arturo no respondió. Gritaba para que su voz ahogase la de su madre. Ya estaba oscuro y las ventanas del señor Craik resplandecerían en la noche. Arturo desenterró con el pie una piedra hundida en la tierra helada y la metió en una bola de nieve. El pequeño Craik estaba a cinco metros, detrás de un árbol. La arrojó con una violencia que le puso en tensión el cuerpo entero, pero falló: por unos centímetros.

El señor Craik partía con el hacha un hueso en el tajo cuando entró María. Alzó los ojos al chirriar la puerta y la vio: una figura pequeña e insignificante enfundada en un abrigo negro y viejo con cuello de piel, de piel tan raída que en la superficie negra habían aparecido manchas blancas. Un raído sombrero marrón le cubría la cabeza hasta la frente; y debajo, oculta, la cara de una niña muy pequeña y muy vieja. Sus medias de rayón, sin brillo ya, eran de un color crema amarillento que subrayaba la presencia de los huesecillos y la piel blanca que había debajo y hacía que los zapatos viejos que calzaba pareciesen más estropajosos y viejos. Andaba igual que una niña, con temor, de puntillas, abrumada, en aquel establecimiento conocido en que hacía las compras con regularidad invariable, alejándose al máximo del tajo del señor Craik, punto donde el mostrador se encontraba con la pared.

Años atrás solía saludarle. Pero pensaba que a lo mejor el hombre no quería ahora un trato tan familiar y se quedó en silencio en su rincón, en espera de que aquél la atendiese.

Al ver de quién se trataba, el hombre no hizo caso y la mujer se esforzó por ser una espectadora curiosa y sonriente mientras aquél agitaba el hacha. El señor Craik era de estatura media, estaba un poco calvo y llevaba gafas de montura de celuloide: un hombre de cuarenta y cinco años. Llevaba un lápiz grueso detrás de una oreja y un cigarrillo detrás de la otra. El delantal blanco le llegaba hasta los zapatos y lo llevaba atado a la cintura por varias vueltas de cinta azul. Estaba troceando el hueso de una cadera rojiza y jugosa.

—Sólo con mirarlo alimenta, ¿verdad? —dijo María.

Golpeó la carne una y otra vez, cortó un pedazo cuadrado del rollo de papel embalador, lo extendió sobre la báscula y le echó la carne encima. Sus dedos rápidos y blandos la envolvieron con pericia. Calculó la mujer que la chuleta valdría casi dos dólares y se preguntó quién la habría comprado: probablemente alguna de las norteamericanas ricas que vivían en University Hill y que eran clientes del señor Craik.

El señor Craik se echó al hombro el resto de la cadera y desapareció en el interior de la cámara frigorífica, cerrando la puerta a sus espaldas. Estuvo un rato muy largo en aquella cámara frigorífica. Reapareció al cabo, fingió sorpresa al ver a María, se aclaró la garganta, cerró la puerta de la cámara frigorífica, le puso el candado que le echaba todas las noches y desapareció en la trastienda.

Supuso María que había ido al lavabo para lavarse las manos, lo que hizo que se preguntara si aún le quedaba detergente Gold Dust; pero, de manera súbita y repentina, todo lo que le hacía falta para la casa rompió las membranas de la memoria y una flojedad semejante al desmayo se apoderó de ella al pensar en la montaña de jabón, margarina, carne, patatas y muchas otras cosas que se le venía encima.

Reapareció Craik con una escoba y se puso a barrer el serrín que escarchaba los alrededores del tajo. María alzó los ojos hasta el reloj: las seis menos diez. ¡Pobre señor Craik! Parecía cansado. Era como todos los hombres, deseoso ya sin duda de un buen plato caliente.

El señor Craik interrumpió la limpieza para encender un cigarrillo. Svevo sólo fumaba puros, pero casi todos los norteamericanos fumaban cigarrillos. El señor Craik la miró, exhaló el humo y siguió barriendo.

—Mal tiempo tenemos estos días —dijo la mujer.

Pero el hombre tosía en aquellos instantes y ella pensó que no la había oído, porque entró en la trastienda y volvió con una caja de cartón y un recogedor. Suspirando al inclinarse, puso el serrín en el recogedor con la escoba y lo vació en la caja de cartón.

—No me gusta que haga tanto frío —dijo la mujer—. Estamos esperando a que llegue la primavera, Svevo sobre todo.

Volvió a carraspear el hombre y antes de que la mujer se diese cuenta ya había desaparecido aquél en el fondo del establecimiento con la caja de cartón. Oyó María el chorro del agua corriente. El hombre volvió secándose las manos en el delantal, en aquel bonito delantal blanco. Pulsó aparatosamente el botón de ABRIR CAJA de la caja registradora.

María cambió de postura, apoyándose en la otra pierna. El reloj de péndulo tictaqueaba. Era uno de aquellos relojes eléctricos que emitían ruidos raros. Ya eran las seis en punto.

El señor Craik cogió a puñados las monedas de la caja y las puso en el mostrador. Rasgó una tira de papel del rollo y cogió el lápiz. Se inclinó y se puso a anotar los ingresos del día. ¿Sería posible que no se hubiese dado cuenta de que María se encontraba en el establecimiento? ¡Tenía que haberla visto entrar y que estaba allí! El señor Craik humedeció la punta del lápiz con la lengua rosácea y se puso a sumar las cantidades apuntadas. Arqueó María las cejas y se acercó al escaparate para echar un vistazo a las frutas y verduras. Naranjas: sesenta centavos la docena. Espárragos, treinta y cinco centavos el kilo. ¡Ángela María! Un kilo de manzanas treinta centavos.

—¡Fresas! —exclamó—. ¡Y en invierno! ¿Son de California, señor Craik?

El aludido metió las monedas en una talega de banco y se dirigió a la caja fuerte, ante la que se acuclilló y en la que marcó los números de la combinación. El reloj de péndulo tictaqueaba. Eran las seis y diez cuando el tendero cerró la caja fuerte. Un instante después volvía a perderse en el fondo de la tienda.

María no se atrevía ya a mirarle. Humillada, extenuada, le dolían los pies y con las manos enlazadas en el regazo tomó asiento en una caja vacía y se puso a mirar los escaparates cubiertos de escarcha. El señor Craik se quitó el delantal y lo arrojó sobre el tajo. Se quitó el cigarrillo de los labios, lo dejó caer en el suelo y lo pisó a conciencia. Luego volvió a la trastienda y regresó con el abrigo. Sólo en el momento de subirse el cuello de la prenda, se dirigió a María por primera vez.

—Vamos, señora Bandini. No puedo quedarme aquí toda la noche.

María perdió el equilibrio al oír la voz del tendero. Sonrió para ocultar la turbación, pero tenía gachos los ojos y la faz enrojecida. Se llevó las manos al cuello.

—Es que yo... —dijo—, ¡le estaba esperando!

—¿Y qué quiere hoy, señora Bandini? ¿Espalda?

No se movió del rincón y frunció los labios. El corazón le iba tan rápido que no se le ocurría nada.

—Quiero... —fue a decir.

—Aprisa, señora Bandini. Dios mío, ya lleva aquí media hora y aún no se ha decidido.

—Pensé que...

—¿Quiere un filete de espalda?

—¿A cuánto está la espalda, señor Craik?

—Igual que siempre. Señora Bandini, por favor. Hace años que me compra. Está al mismo precio. Al mismo precio de siempre.

—Quiero cincuenta centavos.

—¿Y por qué no lo ha dicho antes? —preguntó el tendero—. Ya he guardado toda la carne en la cámara frigorífica.

—Lo siento, señor Craik.

—Por esta vez, pase. Pero en lo sucesivo, si quiere algo de esta tienda, venga más temprano. Dios mío, no sé a qué hora voy a llegar a casa.

Sacó un pedazo de espalda y se puso a afilar el cuchillo.

—Oiga —dijo el hombre—. ¿Qué hace Svevo estos días?

En los quince años y pico que Bandini y el señor Craik se conocían, éste aludía siempre a aquél llamándole por el nombre de pila. María había pensado siempre que Craik temía a su marido. Era una convicción que la enorgullecía mucho en privado. Hablaron entonces de Bandini y ella repitió por enésima vez la aburrida historia de las desdichas de un albañil en los inviernos de Colorado.

—Es que le vi anoche —dijo Craik—. Cerca de la casa de Effie Hildegarde. ¿La conoce?

No; no la conocía.

—Será mejor que vigile al Svevo ese —dijo el tendero

con humorismo insinuante—. Que no le quite el ojo de encima. Effie Hildegarde tiene un montón de dinero. Y es viuda, además —añadió, mientras comprobaba la carne que había puesto en el plato de la báscula—. Y propietaria de la compañía de tranvías.

María le observó la cara con atención. Envolvió la carne, ató el envoltorio y lo dejó caer en el mostrador, delante de María.

—Posee además muchos inmuebles en el pueblo —prosiguió el hombre—. Una mujer imponente, señora Bandini.

¿Inmuebles? María suspiró aliviada.

—Bueno, Svevo conoce a mucha gente así. Tal vez piense que ella le puede dar trabajo.

Se mordía la uña del pulgar cuando Craik habló de nuevo.

—¿Qué más, señora Bandini?

Pidió el resto: harina, patatas, jabón, margarina, azúcar.

—¡Ah, me olvidaba! —exclamó—. También quiero fruta, media docena de manzanas de ésas. A los niños les gusta la fruta.

El señor Craik maldijo por lo bajo, abrió una bolsa de una sacudida y metió en ella las manzanas. No le gustaba incrementar la deuda de Bandini con fruta: le parecía ridículo que los pobres se permitieran aquellos lujos. Carne y harina, bueno. Pero ¿por qué tenían que comer fruta cuando debían tanto dinero?

—Señor, Señor —murmuró el hombre—. Esto de vender al fiado tiene que terminarse, señora Bandini. No puede continuar así. Desde septiembre no he recibido a cuenta ni un centavo.

—¡Se lo diré a mi marido! —dijo María, retrocediendo—. Se lo diré, señor Craik.

—¡Sí, claro! ¡De mucho va a servir!

María recogió los paquetes.

—Se lo diré, señor Craik. Se lo diré esta misma noche.

¡Qué alivio salir a la calle! Y qué cansada estaba. Le

dolía todo el cuerpo. Sonrió sin embargo al inhalar el aire frío de la noche y abrazó con afecto los paquetes como si fueran la vida misma.

El señor Craik se equivocaba. Svevo Bandini era hombre hogareño. ¿Y por qué no podía hablar con una mujer que poseía bienes inmuebles?

5

ARTURO Bandini estaba convencido de que cuando muriese no iría al infierno. Para ir al infierno había que cometer un pecado mortal. Él había cometido muchos, lo sabía, pero la confesión le había salvado. Siempre se confesaba a tiempo, es decir, antes de que la muerte se le presentara. Y tocaba madera cada vez que pensaba en ello: que siempre habría tiempo antes de morir. De modo que Arturo estaba archiconvencido de que cuando muriese no iría al infierno. Por dos motivos. Por la confesión y porque era un corredor muy rápido.

El Purgatorio, sin embargo, ese lugar intermedio entre el Infierno y el Cielo, le preocupaba. El catecismo decía con claridad lo que hacía falta para ir al Cielo: el alma tenía que estar limpia del todo, sin la menor sombra de pecado. Si el alma, en el momento de la muerte, no estaba lo bastante limpia para ir al Cielo ni lo bastante sucia para ir al Infierno, se quedaba en la región intermedia, en aquel Purgatorio en que ardería y ardería hasta que sus faltas se purgasen.

Había un consuelo en el Purgatorio: que, al margen del tiempo que se pasara en él, el Cielo estaba asegurado. Pero cuando Arturo se dio cuenta de que la estancia en el Purgatorio podía durar setecientos mil millones de billones de trillones de años, ardiendo y ardiendo sin parar, poco consuelo había en que al final se aterrizase en el Cielo. A fin de cuentas, cien años era ya mucho tiempo. Ciento cincuenta millones de año era inconcebible.

Sí: Arturo estaba convencido de que jamás iría derecho

al Cielo. Por más que esta perspectiva le asustase, sabía que la temporada en el Purgatorio sería larga. Aunque ¿no se podía hacer nada para reducir la prueba de fuego del Purgatorio? La solución de este problema la encontró en el catecismo.

Decía el catecismo que para reducir el espantoso período purgativo había que hacer buenas obras, rezar, practicar la abstinencia y el ayuno y acumular indulgencias. De las buenas obras no había ni que hablar, por lo menos en su caso. Jamás había visitado a los enfermos porque no conocía a esta clase de personas. Jamás había vestido a los desnudos porque nunca había visto desnudo a nadie. Jamás había enterrado a los muertos porque para eso estaban los enterradores. Jamás había dado limosna a los pobres porque no tenía nada para dar; por otra parte, la palabra «limosna» le sonaba a rebanada de pan, ¿y de dónde podía sacar él las rebanadas de pan? Jamás había dado posada al peregrino porque... bueno, no lo sabía; le parecía más bien propio de quienes vivían en los pueblos costeros y alquilaban habitaciones a los marineros de paso. Jamás había enseñado al que no sabía porque a fin de cuentas también él era un ignorante, de lo contrario no se le obligaría a ir a aquella escuela de mierda. Jamás había redimido al cautivo porque nunca había entendido este galimatías. Jamás había sufrido con paciencia los defectos del prójimo porque le parecía peligroso y además porque no conocía personalmente a ningún individuo defectuoso: en la puerta de casi todas las casas donde había sujetos con viruela y sarampión podía verse la señal de la cuarentena.

En cuanto a los diez mandamientos, los había quebrantado prácticamente todos, aunque estaba seguro de que no todas las infracciones eran pecado mortal. A veces llevaba consigo una pata de conejo, que era superstición, y por tanto un pecado contra el primer mandamiento. Pero ¿era mortal? Siempre le preocupaba. Un pecado mortal era una ofensa grave. Un pecado venial era una ofensa leve. A veces, cuando jugaba al béisbol, cruzaba el bate con algún compañero de equipo: al parecer aumentaba las posibilidades de conseguir doble base. Y sin embargo sabía que era superstición. ¿Era pecado? ¿Y era pecado mortal o pecado venial? Un domingo había faltado a misa adrede para escuchar por radio la transmisión de la final de la liga y en particular para ver cómo jugaba su ídolo, Jimmy Foxx, del Atlético. Al volver a casa después del partido se le ocurrió de pronto que había infringido el tercer mandamiento: santificar las fiestas. Bueno, al no ir a misa había cometido un pecado mortal, pero ¿también era pecado mortal posponer a Dios Todopoderoso y preferir a Jimmy Foxx durante la final de la liga? Había ido a confesarse y entonces se habían complicado las cosas. El padre Andrew le había dicho: «Si tú crees que es pecado mortal, hijo mío, entonces es pecado mortal». Joder. Al principio había pensado que sólo era pecado venial, pero tenía que admitir que, después de haber meditado la ofensa durante tres días, antes de confesarse, se había convertido ciertamente en pecado mortal.

Segundo mandamiento. Era absurdo detenerse en él porque Arturo decía «Te juro por Dios que...» una media de cuatro veces al día. Y eso sin contar las variantes: rediós, ponerse como un cristo, follar como Dios... Por ello, como se confesaba todas las semanas, después del inútil examen de conciencia se veía obligado a hablar de abstracciones y generalidades. Lo mejor era ir al cura y decirle: «He tomado el nombre de Dios en vano unas sesenta y ocho o setenta veces». Sesenta y ocho pecados mortales en una sola semana, y sólo contra el segundo mandamiento. ¡Ondiá! A veces, arrodillado en la iglesia fría mientras esperaba ante el confesonario, escuchaba con alarma los latidos de su corazón, preguntándose si se detendría y él caería muerto antes de desahogar lo que que le oprimía el pecho. Le exasperaba aquel galope cardíaco. Le obligaba a ir al confesonario, no corriendo, sino con frecuencia andando, y muy despacio, para no agotar el órgano y desplomarse muerto en la calle.

«Honrarás a tu padre y a tu madre.» ¡Pues claro que

honraba a su padre y a su madre! Claro que sí. Aunque allí había trampa: el catecismo añadía que les deshonraba cualquier desobediencia filial. Una vez más le fallaba la suerte. Pues aunque honraba de verdad a su padre y a su madre, casi nunca obedecía. ¿Pecados veniales? ¿Pecados mortales? Las calificaciones le fastidiaban. La cantidad de pecados cometidos contra este mandamiento le daba vértigo; cuando analizaba los días hora por hora y los contaba, sumaban centenares. Al final llegó a la conclusión de que sólo eran pecados veniales, no lo bastante serios para merecer el Infierno. Aun así, se guardó muchísimo de analizar a fondo esta conclusión.

Nunca había matado a nadie y durante mucho tiempo estuvo convencido de que nunca pecaría contra el quinto mandamiento. Pero cierto día, en la clase de religión, se puso a pensar en el quinto mandamiento y descubrió desazonado que era prácticamente imposible no pecar contra él. Matar a una persona no era lo único: las prohibiciones secundarias del mandamiento en cuestión comprendían la crueldad, hacer daño, pelearse y toda suerte de maldad contra las personas, los pájaros, los mamíferos y también los insectos.

Pero ¿por qué, maldita sea? A él le encantaba matar moscardas. Se lo pasaba cojonudo matando ratas almizcleras y pájaros. Y disfrutaba peleándose. Y no aguantaba a las gallinas. Había tenido muchos perros y los había tratado con dureza y a menudo con crueldad. ¿Y la de perrillos de las praderas, palomos, gallinazas y liebres que había matado? Bueno, sólo cabía sacar el mejor partido de ello. ¿O es que era pecado incluso pensar en matar o en hacer daño a un ser humano? Porque, entonces, su suerte estaba echada. Por más que lo intentase, le era imposible no manifestar el deseo de que ciertas personas sufrieran una muerte violenta: por ejemplo, la hermana Mary Corta, y Craik el tendero, y los de primer año de universidad, que aporreaban a los chicos con palos y les prohibían entrar a ver los partidos de béisbol que se celebraban en el estadio. Se dio cuenta de que, aunque él no era un asesino de verdad, a los ojos de Dios era como si lo fuese.

Un pecado contra el quinto mandamiento que siempre le bullía en la conciencia era un episodio acaecido el verano anterior, cuando él y Paulie Hood, otro chico católico, habían cogido viva una rata y la habían crucificado con tachuelas en una pequeña cruz que habían plantado encima de un hormiguero. Fue una acción espeluznante y horrible que no se le iba nunca de la cabeza. Lo tremebundo del caso era que habían cometido aquella mala acción en Viernes Santo, ¡y minutos después de recitar el Via Crucis! Se había confesado lleno de vergüenza, llorando mientras lo contaba, con arrepentimiento sincero, porque sabía que había acumulado muchos años de Purgatorio y pasaron casi seis meses sin que se atreviera a matar otra rata.

No cometerás actos impuros; no pensarás en Rosa Pinelli, ni en Joan Crawford, ni en Norma Shearer, ni en Clara Bow. ¡Me cago en diez! ¡Rosa, Rosa, y pecados, pecados y más pecados! Empezó cuando tenía cuatro años, sin cometer pecados entonces porque nada sabía. Empezó cuando cierto día, a los cuatro años, se tumbó en una hamaca y se balanceó hacia aquí, hacia allá, dale que te pego, y al día siguiente volvió a la hamaca colgada entre el ciruelo y el manzano del patio trasero y se balanceó hacia aquí, hacia allá, y dale que te pego.

¿Qué sabía él de fornicaciones, adulterios, pensamientos malos y actos impuros? Nada. Se pasaba de buten en la hamaca. Y luego aprendió a leer y lo primero de lo mucho que leyó fue los diez mandamientos. Cuando tenía ocho años fue a confesarse por primera vez y cuando cumplió nueve tuvo que desglosar los mandamientos para saber qué significaban.

Adulterio. No se hablaba de él en la clase de religión de cuarto curso. La hermana Mary Ann se lo saltaba e invertía casi todo el tiempo en hablar de Honrarás a tu Padre y a tu Madre y de No Robarás. Así, por inconcretos motivos que nunca alcanzaba a comprender, el adulterio siempre estaba asociado para él con atracar bancos. Entre los ocho y los diez años, cada vez que tenía que confesarse y hacía examen de conciencia, pasaba por alto aquello de «No desearás a la mujer de tu prójimo» porque él nunca había atracado un banco.

Quien le habló acerca del adulterio no fue el padre Andrew, tampoco fue ninguna de las monjas, sino Art Montgomery, que trabajaba en la gasolinera que había en el cruce de la calle Arapahoe y la calle Doce. Desde aquel día, tenía los riñones como si se los hubiera invadido un millar de avispas zumbantes. Las monjas no hablaban nunca del adulterio. Sólo sabían hablar de malos pensamientos, palabras feas y actos impuros. ¡Caray con el catecismo! Todos sus secretos íntimos y todos sus pensamientos placenteros los conocía aquel catecismo de antemano. No había manera de darle esquinazo por mucha precaución con que anduviera de puntillas por entre sus definiciones y explicaciones. Ya no podía ir al cine porque él sólo iba al cine para ver las curvas de las actrices. Le gustaban las películas «de amor». Le gustaba ir tras las chicas al subir escaleras. Le gustaban los brazos de las chicas, y las piernas, las manos, los pies, los zapatos, las medias, los vestidos, su olor y su presencia. Al cumplir los doce años, lo único que le importaba en la vida era el béisbol y las chicas, sólo que él las llamaba mujeres. Le gustaba el sonido de esta palabra. Mujeres, mujeres, mujeres. La repetía una y otra vez porque le producía una sensación secreta. Incluso en misa, rodeado de cincuenta o cien especímenes femeninos, se complacía en sus placeres íntimos.

Y todo ello pecado: la historia entera tenía la pegajosa impronta del mal. Hasta el sonido de ciertas palabras era pecado. Pelo. Agujero. Pezón. Las tres pecado. Chupar. Carne. Carmín. Labios. Pecado las cuatro. Cuando rezaba el Avemaría. Dios te salve, María, llena eres de gracia, el Señor es contigo, bendita tú eres entre todas las mujeres, y bendito es el fruto de tu vientre, Jesús. La expresión le sacudía como una descarga eléctrica. El fruto de tu vientre. Otro pecado a la vista.

Todas las semanas, todos los sábados por la tarde, entraba en la iglesia abrumado por los pecados adulterinos. Allí le conducía el miedo, el miedo a morir y a vivir después eternamente entre tormentos eternos. No se atrevía a mentir al confesor. El miedo le arrancaba los pecados de raíz. Se confesaba a toda velocidad, atropellando con sus suciedades, ávido de ser puro. He cometido un acto impuro, o sea, dos actos impuros, he pensado en las piernas de una chica, en tocarla en un sitio prohibido, y he ido al cine y he tenido malos pensamientos, yo iba por la calle y una chica salía de un coche, y fue un pensamiento muy malo, y me han contado un chiste verde y me he reído, y un grupo de chicos nos pusimos a mirar una pareja de perros y yo dije una cosa impura, fue culpa mía, ellos no dijeron nada, fui yo, yo fui el responsable de todo, les hice reír con una intención fea y también he arrancado una foto de una revista, la chica estaba desnuda y yo sabía que no estaba bien, pero lo hice de todos modos. He tenido malos pensamientos sobre la hermana Mary Agnes; yo sabía que mis intenciones eran malas, pero seguí pensándolo. También he tenido malos pensamientos a propósito de unas chicas acostadas en la hierba, una de ellas con la falda levantada hasta arriba, y yo no hacía más que mirar, sabiendo que estaba feo. Pero me arrepiento. Por mi culpa, por mi grandísima culpa, me arrepiento, me arrepiento.

Abandonaba el confesonario, rezaba la penitencia, rechinándole los dientes, los puños apretados, el cuello en tensión, prometiendo con todo su ser mantenerse puro por siempre jamás. Al final le embargaba una sensación de dulzura, el sosiego le arrullaba, le refrescaba una brisa y le acariciaba la ternura. Salía de la iglesia como en un sueño, y como en sueños caminaba, y si no miraba nadie, le daba un beso a un árbol, mordisqueaba una hoja de arbusto, enviaba besos al cielo, rozaba las piedras frías de la iglesia con dedos de mago, con el corazón rebosante de una paz que no podía compararse con nada, salvo con un batido de chocolate, una triple base, una buena ventana que romper, la hipnosis del instante que precede al sueño.

No, no iría al Infierno cuando muriese. Era un corredor rápido, siempre llegaba a tiempo al confesonario. Pero le esperaba el Purgatorio. Él no era de los que suben disparados hacia la bienaventuranza eterna. Tendría que recorrer el camino de las dificultades, el desvío. Por esta razón era monaguillo. La dosis de piedad que sentía en este mundo le obligaba a reducir las penas del Purgatorio.

Era monaguillo por dos razones más. Primera, a pesar de sus gemidos y gritos de protesta, su madre se mantuvo en sus trece. Segunda, todas las Navidades las chicas de la Asociación del Santo Nombre festejaban a los monaguillos con un banquete.

Rosa, te amo.

Estaba en el salón de actos con las Jóvenes del Santo Nombre, decorando el árbol para el Banquete de los Monaguillos. Él miraba desde el suelo, celebrando con los ojos el triunfo de los encantos de la muchacha de puntillas. Rosa: papel de plata y barras de chocolate, el olor de un balón nuevo de rugby, los postes de la portería engalanados con banderas, un tanto con todas las bases conquistadas. También yo soy italiano, Rosa. Mira, mis ojos son igual que los tuyos. Rosa, te amo.

La hermana Mary Ethelbert pasó por su lado.

—Vamos, Arturo, no te entretengas.

Estaba a cargo de los monaguillos. Fue tras sus hábitos negros y flotantes hasta el «salón de actos pequeño» donde la esperaban los setenta chicos que componían el estudiantado masculino. Subió al estrado y batió palmas para pedir silencio.

—Bueno, chicos, a vuestros puestos.

Formaron de dos en fondo, treinta y cinco parejas. Los bajos delante, los altos detrás. El compañero de Arturo era Wally O'Brien, el que vendía el *Denver Post* delante del First National Bank. Era el vigésimo quinto empezando por delante, el décimo empezando por detrás. Arturo detestaba esta circunstancia. Él y Wally eran compañeros desde hacía ocho años, desde el parvulario incluso. Cada año que pasaba retrocedían en la formación, y a pesar de todo no lo habían conseguido, no habían crecido lo suficiente para estar en las tres últimas filas, donde se encontraban los mayores y se fomentaba el ingenio. En fin, era el último año que pasaban en aquel colegio de mierda y aún estaban empantanados en la caca de los cagones de sexto y séptimo curso. Ocultaban la humillación tras una dureza exagerada y una fachada blasfema para impresionar a los cagones de sexto curso y obligarles a que respetaran sus salvajes sutilezas.

Pero Wally O'Brien tenía suerte. En la formación no tenía ningún hermano menor que le molestara. Año tras año había visto Arturo con alarma creciente que sus hermanos August y Federico retrocedían de las primeras filas al tiempo que avanzaban hacia él. Federico estaba ya el noveno empezando por delante. Le tranquilizaba saber que el hermano menor no le alcanzaría nunca. En junio, Dios mediante, Arturo terminaría los estudios y dejaría para siempre de ser monaguillo.

La auténtica amenaza la constituía la cabeza rubia que tenía delante, la cabeza de su hermano August. Éste intuía ya una apoteosis inmediata. Cada vez que se llamaba a formar parecía comparar su estatura con la de Arturo con sonrisita de guasa. Pues August, la verdad sea dicha, era tres milímetros más alto, pero Arturo, que por lo general adoptaba posturas cargadas de hombros, solía estirarse lo suficiente para pasar la revista de la hermana Mary Ethelbert. El esfuerzo era agotador. Tenía que estirar el cuello y apoyarse en el pulpejo de los pies, con los talones a más de un centímetro del suelo. En el ínterin, sometía a August propinándole rodillazos de aquí te espero cuando la hermana Mary Ethelbert no miraba.

No vestían la indumentaria religiosa porque sólo era un ensayo. La hermana Mary Ethelbert los sacó del salón de actos pequeño, los condujo por el pasillo y los introdujo en el salón de actos grande, donde Arturo entrevió a Rosa colgando papel de plata en el árbol de Navidad. Dio un rodillazo a August y suspiró.

Tú y yo, Rosa: un matrimonio italiano.

Bajaron por una escalera de tres tramos y cruzaron el patio hasta alcanzar la puerta principal de la iglesia. Las pilas de agua bendita no contenían más que hielo. Se arrodillaron a la vez; los dedos de Wally O'Brien retorcieron los del chico que tenía delante. Ensayaron durante dos horas, murmurando las respuestas en latín, haciendo genuflexiones, desfilando con devoción militar. *Ad deum qui laetificat juventutem meam.*

Acabaron a las cinco en punto, aburridos y muertos de cansancio. La hermana Mary Ethelbert los formó para la inspección final. A Arturo le dolían los pies de tanto malabarismo. Agotado, se dejó caer sobre los talones. Fue un momento de descuido que pagó muy caro. El ojo avizor de la hermana Mary Ethelbert descubrió en aquel preciso momento un bache en la hilera que comenzaba y terminaba en la cabeza de Arturo Bandini. Adivinó éste los pensamientos de la monja y se esforzó en vano por auparse con ayuda de los agotados dedos de los pies. Demasiado, demasiado tarde. A una indicación suya, él y August intercambiaron el puesto.

El nuevo compañero era un chico llamado Wilkins, un alumno de cuarto curso que llevaba gafas de montura de plástico y se metía el dedo en la nariz. Detrás de él, santificado victoriosamente, se erguía August, con los labios curvados en una sonrisa implacable y sin que brotara de ellos ni una palabra. Wally O'Brien observaba a su anterior compañero con tristeza alicaída, porque también a él le humillaba la irrupción de aquel advenedizo de sexto curso. Para

Arturo era el fin. Murmuró a August por la comisura de la boca:

—So comemierda... Ya nos veremos en la calle y entonces ajustaremos las cuentas.

Arturo le esperó al terminar el ensayo. Se encontraron en la esquina. August mantuvo el paso rápido, como si no hubiese visto a Arturo. Éste aceleró la marcha.

—¿Por qué corres, tío alto?

—No corro, enano.

—Sí, tío alto, eso es lo que eres. ¿Te gustaría que te metiera en la boca un puñado de nieve?

—No me gustaría. Y déjame en paz, enano.

—No voy a hacerte nada, tío alto. Sólo quiero ir a casa contigo.

—No intentes hacerme nada.

—No te pondré la mano encima, tío alto. ¿Por qué crees que quiero hacerlo?

Se acercaban al callejón que discurría entre la Iglesia Metodista y el Hotel Colorado. Una vez que lo rebasaran, August, a la vista de los desocupados que mosconeaban ante la puerta del hotel, estaría a salvo. Echó a correr, pero Arturo lo sujetó por el jersei.

—¿Por qué tienes prisa, tío alto?

—Si me tocas, llamaré a la policía.

—¿Tocarte yo? Ni por el forro.

Pasó un deportivo a marcha lenta. Arturo siguió la dirección de la repentina mirada boquiabierta del hermano y vio a los ocupantes del vehículo, un hombre y una mujer. Era ésta quien conducía mientras el hombre le pasaba un brazo por los hombros.

—¡Mira!

Pero Arturo lo había visto ya. Le entraron ganas de reír. Era asombroso. Quien conducía el coche era Effie Hildegarde y el hombre era Svevo Bandini.

Los dos hermanos se miraron con atención. ¡De modo que por aquello había hecho la mamá tantas preguntas sobre Effie Hildegarde! Que si Effie Hildegarde era atractiva. Que si Effie Hildegarde era una «mala» mujer.

A Arturo se le aflojó la boca, pronta a estallar en carcajadas. La situación le complacía. ¡Menudo pájaro tenía por padre! ¡Vaya con el Svevo Bandini! Joder, tú. ¡Y además, menuda hembra era Effie Hildegarde!

—¿Nos habrá visto?

—No —dijo Arturo con una sonrisa de picardía.

—¿Estás seguro?

—La tenía cogida por los hombros, ¿no?

August frunció el ceño.

—Eso no está bien. Salir con otras mujeres. Lo dice el noveno mandamiento.

Entraron en el callejón. Era un atajo. La oscuridad aumentaba a paso rápido. Los charcos que encontraban estaban congelados bajo la creciente tiniebla. Siguieron andando, Arturo con una sonrisa. August estaba resentido.

—Es un pecado. Mamá es una madre excelente. Es un pecado.

—Cierra el pico.

Salieron del callejón y entraron en la Calle Doce. El gentío que infestaba el barrio comercial para hacer las compras navideñas los separaba de vez en cuando, pero siguieron juntos, esperándose cuando uno de los dos quedaba rezagado entre la gente. Se encendieron las farolas de la calle.

—Pobre mamá. Es mucho mejor que esa Effie Hildegarde.

—Cierra el pico.

—Es un pecado.

—¿Qué sabes tú? Cierra el pico.

—Es porque mamá no tiene vestidos bonitos...

—Cierra el pico, August.

—Es un pecado mortal.

—Eres idiota. Y demasiado pequeño. No sabes nada de nada.

—Sé que es un pecado. Mamá no haría una cosa así.

Cómo la tenía cogida su padre por los hombros. Había visto muchas veces a aquella mujer. Se encargaba de las actividades de las chicas durante la celebración del Cuatro de Julio en el parque de la Casa Consistorial. La había visto el verano anterior en las escaleras del Ayuntamiento agitando los brazos, llamando a las chicas para el gran desfile. Recordaba su dentadura, su bonita dentadura, la boca roja, el cuerpo rellenito y delicioso. Había dejado a los amigos para esconderse entre la maleza y observarla mientras hablaba con las chicas. Effie Hildegarde. ¡Chico, su padre era cojonudo!

Y él era igual que su padre. Llegaría el día en que él y Rosa Pinelli harían lo mismo. Cojamos el coche, Rosa, y vayamos al campo, Rosa. Tú y yo, Rosa, al campo. Tú conducirás y yo te besaré, Rosa, pero conducirás tú.

—Apuesto a que lo sabe el pueblo entero —dijo August.

—¿Y por qué no pueden hacerlo? Eres como los demás. Sólo porque papá es pobre, sólo porque es italiano.

—Es un pecado —dijo el menor mientras propinaba puntapiés a los pedazos de hielo que encontraba—. Me es igual lo que sea, y su pobreza también. Es un pecado.

—Tú eres idiota. Un tarao que aún no ha salido del cascarón.

August no replicó. Tomaron el sendero que llevaba al puente que salvaba el arroyo. Iban en fila india, la cabeza gacha, con la atención puesta en el sendero abierto en la nieve profunda. Cruzaron el puente de puntillas, de traviesa en traviesa, diez metros por encima del arroyo helado. El ocaso silencioso les hablaba, les susurraba a propósito de un hombre que iba en coche en aquellos mismos instantes con una mujer que no era la suya. Descendieron el terraplén de la vía del tren y anduvieron por un camino sin delimitar que habían trazado y abierto ellos mismos a fuerza de ir y venir de la escuela a lo largo de todo el invierno, que cruzaba el pastizal de Alzi y que estaba bordeado por grandes montones de nieve, intacta desde hacía meses, compacta y cegadora al caer la tarde. La casa estaba aún a cuatrocientos metros, a una manzana de distancia de la cerca que bordeaba el pastizal de Alzi. Habían pasado gran parte de su vida en aquellas tierras que comenzaban donde morían los patios traseros de la última fila de casas del pueblo y que se extendían entre álamos congelados y asfixiados en la agonía interminable de los inviernos largos y un torrente que ya no cantaba. Debajo de la nieve había arena blanca, muy caliente en otra época y estupenda después de un chapuzón en el arroyo.. Había recuerdos en cada uno de los árboles. Cada poste de la cerca contenía un deseo que esperaba cumplirse cada vez que llegaba la primavera. Detrás de aquel montón de piedras, entre aquellos dos álamos elevados, estaba el cementerio donde reposaban sus perros y Suzie, la gata que había odiado a los perros y que ahora yacía a su lado. Prince, atropellado por un automóvil; Jerry, que comió carne envenenada; Pancho, el luchador, que después de su última pelea se alejó arrastrándose y falleció. Allí habían matado serpientes, abatido pájaros, acribillado ranas, cortado cabelleras a los indios, asaltado bancos, terminado guerras, gozado en paz. Pero aquel atardecer su padre estaba por ahí con Effie Hildegarde y la blanca y silenciosa extensión de tierra no era más que un lugar extraño que cruzaban camino de casa.

—Voy a contárselo a mamá —dijo August.

Arturo iba delante, a tres pasos de distancia. Se volvió con rapidez.

—Tendrás la boca cerrada —le dijo—. Ya tiene mamá bastantes problemas.

—Voy a contárselo. Y que le dé su merecido.

—No digas nada.

—Va contra el noveno mandamiento. Mamá es nuestra madre y se lo voy a decir.

Arturo le cortó el paso poniéndose con las piernas abiertas. August quiso dar un rodeo, más de medio metro de nieve a ambos lados del camino. Había agachado la cabeza y tenía contraída la cara por el malestar y el dolor. Arturo lo cogió por las solapas del chaquetón.

—No vas a decir nada.

August se soltó.

—¿Por qué? Es nuestro padre, ¿no? ¿Por qué tiene que hacer esas cosas?

—¿Quieres que mamá se ponga enferma?

—Entonces ¿por qué lo hace?

—¡Cierra el pico! Y respóndeme. ¿Quieres que mamá se ponga enferma? Porque si se entera, se pondrá muy mal.

—No se pondrá enferma.

—Desde luego que no: porque no vas a contárselo.

—¿Que no?

El dorso de la mano de Arturo golpeó a August a la altura de los ojos.

—Te digo que no se lo vas a decir.

Los labios de August temblaban como un flan.

—Se lo diré.

El puño de Arturo se agitó bajo su nariz.

—¿Lo ves? Pues lo probarás si se lo cuentas.

¿Por qué quería contarlo August? ¿Qué pasaba si su padre estaba con otra mujer? ¿Qué importancia tenía mientras no lo supiera su madre? Además, no era otra mujer: era Effie Hildegarde, una de las mujeres más ricas del pueblo. Para su padre, cojonudo; cojonudísimo. Effie no era tan buena persona como su madre, pero este asunto no tenía nada que ver con la cuestión.

—Vamos, pégame. Voy a contárselo.

El fuerte puño ladeó la cara de August, que apartó la cabeza con expresión de desprecio.

—Adelante. Pégame. Voy a contárselo.

—O me prometes que no lo vas a contar o te rompo la cara.

—Bah. Adelante. Voy a contárselo.

Y adelantó la barbilla, en espera del golpe. Aquello enfureció a Arturo. ¿Por qué August tenía que ser tan cretino?

No quería pegarle. En otras ocasiones sí que disfrutaba dándole de tortas, pero en aquellos instantes no tenía ganas. Abrió las manos y, lleno de furia, puso los brazos en jarras.

—Escúchame, August —arguyó—. ¿No comprendes que no vas a solucionar nada contándoselo a mamá? ¿No comprendes que sólo la harás llorar? Y en Navidad, encima. Le harás daño. Le harás muchísimo daño. Y tú no querrás hacerle daño a mamá, tú no querrás hacerle daño a tu propia madre, ¿verdad que no? ¿Quieres hacerme creer que vas a ir a donde tu propia madre para decirle algo que le va a doler muchísimo? ¿No es pecado hacer eso?

Los ojos fríos de August parpadearon para reafirmar su decisión. El vaho que le salió de la boca al responder con brusquedad le dio a Arturo en la cara.

—¿Y qué pasa con él? ¿O es que no ha cometido ningún pecado? ¿Un pecado peor que el que yo pueda cometer?

Arturo apretó los dientes hasta hacerlos crujir. Se quitó la gorra y la arrojó a la nieve. Con ambos puños preparados, hizo una desesperada intentona final.

—¡No vas a contárselo, me cago en ti!

—Sí voy a contárselo.

Derribó a August de un golpe, un izquierdazo en la sien. August retrocedió dando traspiés, resbaló en la nieve y aterrizó de espaldas. Arturo se le echó encima, enterrados los dos en la nieve esponjosa que había bajo la superficie endurecida. Atenazó con las manos el cuello de August. Apretó con fuerza.

—¿Lo contarás?

Los ojos fríos no se inmutaron.

Yacía inmóvil. Arturo no le había visto nunca en aquella actitud. ¿Qué podía hacer? ¿Pegarle más? Sin aflojar la presa, miró hacia los árboles a cuyos pies yacían sus perros muertos. Se mordió el labio y en vano buscó en su interior la rabia que necesitaba para descargar el golpe.

—Por favor, August —dijo con voz apagada—. No lo cuentes.

—Lo contaré.

Le golpeó, pues. Le dio la sensación de que la sangre brotaba de la nariz de su hermano de manera casi instantánea. Se sintió horrorizado. Estaba a horcajadas sobre August, pisándole los brazos con las rodillas. Verle la cara le resultaba intolerable. Por debajo de la máscara de sangre y nieve, August ostentaba con actitud desafiante una sonrisa enmarcada por el hilo rojizo.

Arturo se apartó y quedó de rodillas junto a él. Se echó a llorar, sollozó con la cabeza en el pecho de August, hundiendo las manos en la nieve y repitiendo: «Por favor, August, ¡por favor! Te daré lo que quieras. Podrás dormir en el lado de la cama que prefieras. Te daré todo el dinero que me den para el cine».

August callaba y sonreía.

Volvió a dominarle la ira. Volvió a golpear, a aplastar el puño con furia en aquellos ojos fríos. Lo lamentó al instante, y comenzó a arrastrarse por la nieve, en derredor de la figura inmóvil y fláccida.

Por fin derrotado, se puso en pie. Se sacudió la ropa para quitarle la nieve, recogió la gorra y se chupó las manos para que le entrasen en calor. August seguía tendido, con la sangre brotándole aún de la nariz: August el vencedor, estirado como un muerto, sangrando todavía, hundido en la nieve, alegres sus ojos fríos por aquella victoria pacífica. Arturo estaba demasiado cansado. Ya no le importaba.

—Como quieras, August.

August seguía inmóvil.

—Levántate, August.

Se puso en pie solo, rechazando el brazo de Arturo. Se irguió con calma, se limpió la cara con un pañuelo y se sacudió el pelo rubio para quitarse la nieve. No dijo nada. August se tocó con cuidado las hinchazones del rostro. Arturo le observaba.

—¿Estás bien?

Siguió sin responder mientras volvía al sendero y se

encaminaba hacia los primeros edificios. Arturo le fue detrás, mudo de vergüenza; de vergüenza y de impotencia. Advirtió a la luz de la luna que su hermano cojeaba. Sin embargo no era tanto una cojera como una caricatura de cojera, semejante al paso dolorido y mortificante del novato que acaba de dar su primer paseo a caballo. Arturo observó aquella cojera con atención. ¿Dónde había visto antes aquello? August parecía sobrellevarla con naturalidad. Entonces lo recordó: era la forma de andar que tenía August hacía dos años, cuando se levantaba de la cama tras haberse mojado por la noche.

—August —dijo—. Si se lo cuentas a mamá, contaré yo a todo el mundo que te meas en la cama.

No había esperado más que una sonrisa de burla, pero, ante su sorpresa, August se giró en redondo y le miró fijamente a la cara. Se le había pintado en ella una expresión de incredulidad, y un asomo de duda le pasó por unos ojos que habían perdido la frialdad. Arturo dio un brinco impresionante, entusiasmado por su inminente victoria.

—¡Sí señor! —exclamó—. Se lo diré a todo el mundo. Lo pregonaré por todas las ciudades y países. Se lo contaré a todos los chicos de la escuela. Escribiré cartas a todos los chicos de la escuela. Se lo contaré a todo el que vea. Se lo contaré a todo el pueblo. Diré que August Bandini se mea en la cama. ¡Vaya que sí!

—¡No! —exclamó August con voz ahogada—. ¡No, Arturo! —gritó con todas sus fuerzas.

—¡Escuchadme todos, oh ciudadanos de Rocklin, Colorado! Escuchad lo que tengo que deciros: ¡August Bandini se mea en la cama! Tiene doce años y se mea en la cama. ¿Habéis oído alguna vez nada semejante? ¡Viva, viva! ¡Que todo el mundo me escuche!

—Por favor, Arturo, no grites. No lo contaré. No lo haré, Arturo, te lo digo de verdad. ¡No diré ni una sola palabra! Pero no grites así. Además, ya no me meo en la cama. Antes sí, pero ahora ya no.

—¿Me prometes que no se lo contarás a mamá?

August tragó saliva mientras cruzaba los dedos y los besaba, y se dispuso a esperar la muerte.

—Está bien —dijo Arturo—. Está bien.

Arturo le ayudó a caminar y siguieron andando hacia su casa.

6

Era innegable que la ausencia de papá tenía sus ventajas. Si estuviese en casa, los huevos revueltos de la cena serían huevos revueltos con cebolla. Si estuviera en casa, no se les dejaría quitar la miga del pan para comerse sólo la corteza. Si estuviera en casa, no dispondrían de tanto azúcar.

Aun así lo echaban de menos. Era tan apática María... Todo el día en zapatillas, todo el día moviéndose con lentitud. En ocasiones tenían que hablarle dos veces para que les oyera. Tomaba té por las tardes y se quedaba mirando el interior de la taza. Dejaba los platos sin recoger. Una tarde ocurrió algo increíble: apareció una mosca. ¡Una mosca! ¡Y en invierno! La vieron revolotear cerca del techo. Parecía moverse con grandes apuros, como si tuviera congeladas las alas. Federico se subió a una silla y la mató con un periódico doblado. Cayó al suelo. Se pusieron de rodillas y la observaron. Federico la cogió con los dedos. María hizo que la soltase de un manotazo. Lo envió al fregadero de la cocina para que se lavase con agua y jabón. Él se negó. Ella lo cogió del pelo y lo enderezó de un tirón.

—¡Harás lo que yo te diga!

Se quedaron estupefactos: mamá no les había puesto la mano encima nunca, nunca les había dicho nada desagradable. Ahora estaba otra vez apática, sumida en el hastío abúlico de una taza de té. Federico se lavó y secó las manos. Hizo entonces algo sorprendente. Arturo y August estaban convencidos de que algo andaba mal, porque Federico hundió la cara en el pelo de su madre y la besó. María apenas si se dio cuenta. Sonrió abstraída. Federico se puso de rodillas y apoyó la cabeza en el regazo materno. Los dedos de María recorrieron el perfil de la nariz y los labios del muchacho. Sabían sin embargo que casi no advertía la presencia de Federico. Se levantó sin decir palabra y Federico la miró con desilusión mientras la madre se dirigía a la mecedora que había junto a la ventana de la salita. Y allí se quedó, sin moverse ni un instante, con el codo apoyado en el alféizar de la ventana, la barbilla en la mano, mientras contemplaba la calle fría y desierta.

Época extraña. Los platos no se lavaban. A veces se iban a la cama y la cama estaba sin hacer. A ellos no les importaba, pero se pusieron a pensar, a pensar en la madre, pegada a la ventana de la salita. Por la mañana se quedaba acostada y no se levantaba para despedirles cuando se iban al colegio. Se vestían con inquietud, espiándola desde la puerta del dormitorio. Yacía como una muerta, con el rosario en la mano. Los platos de la cocina se habían lavado en algún momento de la noche. Volvieron a quedar sorprendidos y decepcionados: porque al despertar habían esperado que la cocina estuviera sucia. Aquello cambiaba las cosas. Les había gustado que la cocina, en vez de limpia, hubiese empezado a estar sucia. Pero no, fíjate, otra vez limpia y el desayuno de todos en el horno. Fueron a observarla antes de partir para la escuela. Sólo sus labios se movían.

Época extraña.

Arturo y August se dirigían al colegio.

—Recuerda, August. Recuerda tu promesa.

—Ajá. No tengo que decírselo. Ella lo sabe ya.

—No, no lo sabe.

—¿Por qué se comporta así, entonces?

—Porque lo piensa. Pero en realidad no lo sabe.

—Es lo mismo.

—No lo es.

Época extraña. Navidad al caer, el pueblo lleno de árboles navideños y los Santa Claus del Ejército de Salvación dándole a las campanillas. Sólo faltaban tres días laborables para Navidad. Se quedaban pegados a los escaparates de las tiendas con ojos angustiados por la escasez. Suspiraban y seguían andando. Todos pensaban lo mismo: iban a ser unas Navidades de mierda y Arturo detestó la festividad porque podía olvidar que era pobre si los demás no se lo recordaban: todas las Navidades igual, siempre insatisfacción, siempre deseando cosas en que no había pensado antes y que le tenían que negar. Siempre mintiendo a los chicos, diciéndoles que le iban a regalar cosas que era más que probable que no tuviese nunca en realidad. A los niños ricos les daban los regalos el día de Navidad. Así lo contaban ellos y él no tenía más remedio que creerles.

Invierno, época de quedarse junto a los radiadores del guardarropa, para quedarse allí sin más, y contar mentiras. ¡Ojalá fuese primavera! ¡Cuánto daría por oír el golpe del bate, por sentir el escozor del pelotazo en la palma acolchada de los guantes! Invierno, época navideña, época de los niños ricos: ellos tenían botas de agua, bufandas de buen paño y guantes de piel. Pero no le importaba mucho. Su época era la primavera. ¡Nada de botas de agua y bufandas de fantasía en el campo de juego! Si allí se va con una corbata chulísima no se llega ni a la primera base. Pero mentía a los demás. ¿Qué le iban a regalar por Navidad? Oh, un reloj nuevo, un traje nuevo, muchas camisas y corbatas, una bicicleta y doce pelotas Spalding, de las que se utilizan en el Campeonato Nacional de Béisbol.

Pero ¿y Rosa?

Te amo, Rosa. Era tan así, tan de aquella manera. Era pobre también, hija de un minero, pero los chicos mariposeaban a su alrededor para escucharla, porque no les importaba, y él la envidiaba y se sentía orgulloso de ella, al tiempo que se preguntaba si los que la rodeaban solícitos habían pensado alguna vez que él también era italiano, igual que Rosa Pinelli.

Habla conmigo, Rosa. Mira hacia aquí aunque sólo sea una vez, hacia aquí, Rosa, donde yo te miro.

Tenía que hacerle un regalo, y recorrió las calles, miró los escaparates y le compró joyas y vestidos. No hay de qué, Rosa. Pero mira el anillo que te he comprado. Déjame que te lo ponga yo. Así. Oh, pero si no tiene importancia, Rosa. Es que iba por Pearl Street, vi abierta la joyería Cherry, entré y lo compré. ¿Si me ha costado mucho? Qué vaaaaaa. Trescientos sólo. Tengo mucho dinero, Rosa. ¿No has oído hablar de mi padre? Somos ricos. Un tío de mi padre que vivía en Italia. Nos lo ha dejado todo. Descendemos de gente bien de allá, de Italia. No lo sabíamos, pero acabamos averiguándolo, somos primos segundos del duque de los Abruzos. Parientes lejanos del rey de Italia. Pero no importa. Yo te he amado siempre, Rosa, y el hecho de que por mis venas corra sangre azul no tiene ninguna importancia.

Época extraña. Una noche llegó a casa antes que de costumbre. La encontró vacía, la puerta trasera abierta de par en par. Llamó a su madre, pero no obtuvo respuesta. Entonces advirtió que las dos estufas se habían apagado. Buscó por toda la casa. El abrigo y el sombrero de su madre estaban en el dormitorio. ¿Dónde estaba entonces?

Salió al patio trasero y la llamó.

—¡Mamá! ¡Eh, mamá! ¿Estás aquí?

Volvió a la casa y encendió el fuego en la habitación principal. ¿Dónde estaría, sin sombrero ni abrigo con aquel tiempo? ¡Así confundiera Dios a su padre! Agitó el puño hacia el sombrero paterno que colgaba en la cocina. ¡Ojalá te pudras! ¿Por qué no vuelves a casa? ¡Mira lo que le has hecho a mamá! La oscuridad se cernió de repente y tuvo miedo. Alcanzaba a percibir el olor de su madre en la casa, en todas las habitaciones, pero ella no estaba. Fue a la puerta trasera y se puso a dar voces otra vez.

—¡Mamá! ¡Eh, mamá! ¿Dónde estás?

El fuego se apagó. Ya no quedaba ni carbón ni leña. Se alegró. Ya tenía un pretexto para salir en busca de combustible. Cogió uno de los cubos del carbón y enfiló hacia el sendero.

La encontró en la carbonera, sentada en la oscuridad, en el rincón, sobre una artesa de albañil. Dio un salto al verla, estaba muy oscuro y ella estaba muy pálida, aterida de frío, nada más que con un vestido fino, y le miraba a la cara, aunque no decía nada, igual que una muerta, su madre congelada en el rincón. Estaba alejada del pequeño montón de carbón, en la parte del cobertizo donde Bandini guardaba las herramientas, el cemento y los paquetes de cal. Arturo se frotó los ojos para quitarse el deslumbramiento de la nieve, dejó caer el cubo mientras seguía forzando la mirada y veía que el bulto materno adquiría concreción, que su madre estaba sentada en un artesa de albañil en la oscuridad de la carbonera. ¿Se habría vuelto loca? ¿Y qué era lo que tenía en la mano?

—¡Mamá! —exclamó—. ¿Qué haces aquí?

No obtuvo respuesta, pero se abrió la mano materna y Arturo vio de qué se trataba: era una paleta, una llana de albañil, la de su padre. Un clamor de protesta sacudió todo su ser. Su madre en la oscuridad de la carbonera, con la llana de su padre. Era una intrusión en la intimidad de un recinto que era suyo y de nadie más. Su madre no tenía ningún derecho a estar en aquel sitio. Era como si la hubiera descubierto cometiendo el pecado de los chicos allí mismo, en el sitio exacto en que se escondía él en tales ocasiones; pues allí estaba, provocándole recuerdos irritados, y se enfureció con el hecho, con que estuviera en aquel lugar, con la llana de su padre en la mano. ¿Qué sentido tenía aquello? ¿Por qué tenía su madre que acordarse de él, que revolverle la ropa, tocar su silla? Bueno, la había sorprendido muchas veces mirando su sitio vacío en la mesa; y ahora allí la tenías, con su llana en la mano, metida en la carbonera, pasando un frío de muerte y sin que le importase, como una muerta. Le invadió una rabia desaforada, dio un puntapié al cubo y se puso a gritar.

—¡Mamá! ¿Qué haces? ¿Por qué estás aquí fuera? ¡Te vas a morir aquí, mamá! ¡Te vas a congelar!

Se incorporó la madre y anduvo hacia la puerta con las manos blancas al frente, la cara amoratada de frío, sin gota de sangre en ella, pasó por su lado y accedió a la semioscuridad del anochecer. Ignoraba cuánto habría estado allí su madre, una hora tal vez, acaso más, pero lo que sí sabía era que tenía que estar medio muerta de frío. Andaba aturdida, mirando a todas partes como si nunca hubiera visto aquel lugar.

Arturo llenó el cubo de carbón. La carbonera tenía el olor agrio de la cal y el cemento. De una viga colgaba un mono de Bandini. Lo cogió y lo rasgó por la mitad. Que estuviera por ahí de picos pardos con Effie Hildegarde le parecía bien, le parecía cojonudo, pero ¿por qué tenía que sufrir tanto su madre y hacerle sufrir a él? Detestó también a su madre; era una imbécil por querer matarse por aquello, sin pensar en los demás, en él, en August y en Federico. Todos eran unos imbéciles. El único sensato de toda la familia era él.

María estaba acostada en la cama cuando volvió al edificio. Aunque bien arropada, tiritaba bajo las mantas. La miró con muecas de impaciencia. Bueno, era culpa suya: ¿por qué había querido salir de aquella manera? Creía sin embargo que debía ser amable.

—¿Estás bien, mamá?

—Déjame sola —dijo la boca temblorosa de la madre—. Déjame sola, Arturo.

—¿Quieres la botella de agua caliente?

No contestó. Le miró por el rabillo de los ojos, un vistazo rápido, exasperado. Fue una mirada que Arturo interpretó como de odio, como si quisiera perderle de vista para siempre, como si él tuviese algo que ver con todo aquello. Silbó de sorpresa: joder, qué rara era su madre; se tomaba aquello demasiado en serio.

Salió de puntillas del dormitorio, no porque tuviese

miedo de su madre, sino porque temía lo que su presencia pudiese provocarle. Cuando August y Federico llegaron a casa, se levantó e hizo la cena: huevos escalfados, pan tostado, patatas fritas y una manzana por cabeza. Ella no comió nada. Después de cenar la vieron donde siempre, en la ventana que daba a la calle, mirando la calle blanca, con el rosario tintineando al rozar la mecedora.

Época extraña. Era una noche en que sólo se podía vegetar y respirar. Se instalaron en derredor de la estufa y esperaron a ver qué sucedía. Federico se arrastró hasta la mecedora y puso la mano en la rodilla de la madre. Sin dejar de rezar, cabeceó como si estuviese en trance. Era su forma de decirle a Federico que no la interrumpiera, que no la tocase, que la dejara sola.

A la mañana siguiente volvió a ser la de antes, tierna y sonriente durante el desayuno. Los huevos se habían preparado «al estilo de mamá», una receta especial, con la yema cubierta por la clara. ¡Y no había más que mirarla! El pelo bien peinado, los ojos bien abiertos y luminosos. Cuando Federico puso en el café su tercera cucharada de azúcar, le regañó con severidad fingida.

—Así no, Federico. Yo te enseñaré.

Y vació la taza en el fregadero.

—Si quieres una taza de café bien dulce, yo te la prepararé. —Puso el azucarero en el plato de Federico en vez de la taza. El azucarero estaba por la mitad. Lo llenó de café. Hasta August se echó a reír, aunque tuvo que admitir que aquel despilfarro podía ser pecaminoso.

Federico lo probó sin tenerlas todas consigo.

—Súper —dijo—. Pero no ha quedado sitio para la leche.

La madre se echó a reír, con la mano en el cuello, y todos se alegraron de verla contenta, aunque siguió riendo, sacudiendo la silla y doblándose a causa de las carcajadas. Aquello no era tan gracioso; no podía serlo. La contemplaron con tristeza, sin que la risa finalizase aún cuando los tres la miraban fijamente y sin expresión. Vieron sus ojos llenos de lágrimas, la cara que se le hinchaba y amorataba. Se puso en pie, con una mano en la boca, y se acercó al fregadero. Se puso a beber agua hasta que el líquido le chorreó por el cuello y no pudo continuar, acto seguido anduvo despacio hasta el dormitorio, donde se echó en la cama y siguió riendo.

Otra vez estaba callada.

Se levantaron de la mesa y fueron a verla acostada. Estaba rígida, los ojos como puntos oculares de muñeca, de la boca jadeante le brotaban chorros de vaho que se esparcían por el aire frío.

—Vosotros, a la escuela —dijo Arturo—. Yo me quedaré en casa.

Cuando se hubieron ido, corrió junto a la cama.

—¿Quieres que busque a papá?

—Vete, Arturo. Déjame sola.

—¿Llamo al doctor Hastings?

—No. Déjame sola. Vete. Vete a la escuela. Vas a llegar tarde.

—¿Quieres que busque a papá?

—Ni se te ocurra.

Pareció de pronto que aquello era lo que había que hacer.

—Voy a buscarle —dijo—. Es lo que voy a hacer. —Y corrió en busca del chaquetón.

—¡Arturo!

La madre saltó de la cama como un felino. Al volverse Arturo, que estaba ante el armario, con un brazo ya dentro de un jersei, se quedó boquiabierto al comprobar que había llegado hasta donde él se encontraba en un abrir y cerrar de ojos.

—¡No vayas a buscar a tu padre! ¿Me oyes? ¡Ni se te ocurra! —Hablaba con la cara tan cerca de la suya que le salpicaron algunas gotas de saliva caliente. Retrocedió hasta el rincón y le dio la espalda, asustado de su madre, asustado incluso de mirarla. Con una fuerza que le asombró, lo cogió por el hombro y le obligó a darse la vuelta.

—Le has visto, ¿verdad? Está con esa mujer.

—¿Qué mujer? —Se alejó con un ademán y se puso a dar tirones al jersei. La madre le puso las manos en los hombros, clavándole las uñas en la carne.

—¡Mírame, Arturo! Le has visto, ¿verdad?

—No.

Pero sonrió; no porque quisiera atormentarla, sino porque creía que había sabido mentir con convicción. Sonrió demasiado pronto. La boca materna se cerró y la cara se le relajó, vencida. Esbozó una sonrisa ligera, odiando saber pero lejanamente satisfecha de que el hijo hubiera querido ocultarle la noticia.

—Comprendo —dijo—. Comprendo.

—No comprendes nada, no dices más que tonterías.

—¿Cuándo le viste, Arturo?

—Te digo que no le he visto.

La madre se enderezó y echó los hombros atrás.

—Ve al colegio, Arturo. Yo ya me encuentro bien. No necesito compañía.

Se quedó a pesar de todo, vagabundeó por la casa, mantuvo encendidas las estufas, echó algún vistazo ocasional al cuarto materno, donde la madre yacía acostada como siempre, con los ojos fijos en el techo, las cuentas del rosario tintineando. No volvió a decirle que fuera al colegio y Arturo se sintió un poco útil, pensó que se tranquilizaba con su presencia. Un rato más tarde, cogía un ejemplar de *Horror Crimes* del escondite del suelo y se sentaba a leer en la cocina, con los pies apoyados en un tronco incrustado en el horno.

Siempre había querido que su madre fuera guapa, que fuera hermosa. La idea le obsesionó en aquel instante, atravesó las páginas de *Horror Crimes* y se centró en la desdicha de mujer que yacía en la cama. Dejó la revista y comenzó a mordisquearse el labio. Hacía dieciséis años su madre había sido una mujer hermosa, porque la había visto en una foto. ¡Y qué foto! En incontables ocasiones, al volver de la escuela y verla cansada, preocupada y nada hermosa, había corrido al baúl y la había cogido: era la foto de una joven de ojos grandes, tocada con una pamela, sonriendo y enseñando múltiples dientes pequeños, una auténtica belleza sentada a los pies del manzano del huerto de la abuela Toscana. ¡Oh, mamá, si hubiera podido besarte entonces! Mamá, ¿por qué has cambiado?

Tuvo el deseo súbito de volver a mirar aquella foto. Escondió la revista barata y abrió la puerta del cuarto vacío que estaba junto a la cocina y donde se guardaba el baúl de su madre. Cerró con pestillo tras de sí. Vaya, pero ¿por qué hacía aquello? Quitó el pestillo. El cuarto parecía una nevera. Fue hasta la ventana donde se encontraba el baúl. Volvió sobre sus pasos y echó el pestillo otra vez. Sentía vagamente que no debería hacer aquello, aunque, por otro lado, a ver por qué no podía hacerlo: ¿es que no podía echar un vistazo a una foto de su madre sin que le embargase la sensación de que hacía algo malo? Bueno, a lo mejor no era su madre en realidad; pero lo había sido; ¿qué importancia tenía, pues?

La encontró debajo de la lencería y los visillos que la madre guardaba hasta que «encontremos una casa mejor», debajo de las cintas y ropa infantil que antaño habían llevado él y sus hermanos. La tuvo en alto y contempló pasmado aquella cara encantadora: he allí la madre con quien siempre había soñado, aquella chica, de no más de veinte años, cuyos ojos sabía que se parecían a los suyos. No aquella mujer cansada que estaba en la otra punta de la casa, con aquel rostro amargado y consumido y unas manos grandes y huesudas. Haberla conocido entonces, recordarlo todo desde el principio, haberse sentido en la cuna de aquel vientre maravilloso, haber vivido acordándose de todo desde el comienzo; sin embargo no recordaba nada de aquella época y su madre había estado siempre igual que ahora, cansada, con aquella expresión de amargura, sus ojos grandes como si fueran de otra persona, y la boca más fláccida, como si hubiera llorado mucho. Recorrió con el dedo el perfil de la cara materna, la besó, suspiró y habló entre murmullos de un pasado que no había conocido nunca.

Al dejar la foto vio algo en un rincón del baúl. Era un joyero pequeño de terciopelo morado. No lo había visto nunca. Le sorprendió su presencia, porque había revuelto ya muchas veces el baúl. La cajita se abrió cuando apretó el cierre. En el interior, engastado en un diminuto cojín de seda, había un camafeo con una cadena dorada. Una frase escrita en una tarjeta que había debajo del cojín diminuto le aclaró lo que era: «Para María, en nuestro primer aniversario. Svevo».

Se puso a pensar muy aprisa mientras se metía en el bolsillo la cajita y cerraba el baúl. Rosa, feliz Navidad. Un regalito. Lo he comprado, Rosa. He ahorrado mucho tiempo para comprarlo. Es para ti, Rosa. Feliz Navidad.

A las ocho en punto de la mañana se puso a esperar a Rosa junto a la fuente del patio del colegio. Sólo faltaba un día de clase para las vacaciones navideñas. Sabía que Rosa llegaba siempre temprano al colegio. Él llegaba por lo general después del último timbrazo y las dos últimas manzanas que le faltaban para llegar al colegio las salvaba a la carrera. Estaba convencido de que las monjas que pasaban le miraban con recelo, a pesar de sus sonrisas amables y sus felicitaciones navideñas. En el bolsillo derecho del chaquetón sentía el abrigado y relevante bulto del regalo que iba a darle a Rosa.

Los alumnos comenzaron a llegar a eso de las ocho y cuarto: chicas, como es lógico, pero no Rosa. Consultó el reloj eléctrico de la pared. Las ocho y media y Rosa sin aparecer. Arrugó el entrecejo con disgusto: toda una media hora esperando allí y ¿para qué? Para nada. Sor Celia, con el ojo de cristal más brillante que el sano, apareció por las escaleras, procedente de las dependencias del convento. Al verle allí en actitud de quien espera, a Arturo, que por lo general llegaba tarde, miró el reloj que llevaba en la muñeca.

—¡Dios bendito! ¿Se me habrá parado el reloj?

Comprobó la hora en el reloj eléctrico de la pared.

—¿Has pasado la noche en casa, Arturo?

—Pues claro, hermana Celia.

—¿Quieres decir que has llegado adrede media hora antes esta mañana?

—Para estudiar. Voy atrasado en álgebra.

La monja sonrió dubitativa.

—¿Cuando sólo falta un día para las vacaciones navideñas?

—Pues sí, así es.

Él sabía, no obstante, que aquello carecía de lógica.

—Felices Pascuas, Arturo.

—Igualmente, hermana Celia.

Las nueve menos veinte y Rosa sin aparecer. Todos parecían mirarle, hasta sus hermanos, que se quedaron boquiabiertos como si en realidad estudiara en otro colegio y en otra ciudad.

—¡Pero mira quién está aquí!

—Date el piro, cagón. —Se inclinó sobre la fuente para beber agua fría.

A las nueve menos diez abrió la muchacha el portal de la entrada. Allí la tenía, sombrero rojo, abrigo de pelo de camello, chanclos de cremallera, su rostro, su cuerpo entero encendido por las llamas frías de la mañana invernal. Se fue acercando con los brazos en derredor de un montón enorme de libros. Saludaba a sus amistades con una inclinación de cabeza, su sonrisa semejante a una melodía que sonara en el patio: Rosa, la presidenta de las Jóvenes del Santo Nombre, la amada de todos, se acercaba, se acercaba con los pequeños chanclos golpeando el suelo con júbilo, como si ellos también la amasen.

Apretó con fuerza la mano en que tenía el joyero. Un

repentino chorro de sangre le rugió en la garganta. El aleteo vivaz de los ojos femeninos se posaron durante un segundo tránsfuga en la cara de Arturo, atribulada por el éxtasis y la tortura, en su boca abierta, en aquellos ojos que parecían salírsele de las órbitas mientras tragaba saliva para dominar el nerviosismo.

Se había quedado sin habla.

—Rosa... yo... mira esto...

La mirada de la joven siguió su curso. El frunce se trocó en sonrisa cuando una compañera llegó corriendo y la arrastró consigo. Entraron en el guardarropa y se pusieron a parlotear con animación. Arturo sentía una opresión en el pecho. Copón. Se acercó a la fuente y se puso a tragar agua fría. Copón. Escupió el agua con asco, doliéndole toda la boca. Copón.

Pasó la mañana escribiendo esquelas a Rosa y rompiéndolas. La hermana Celia había ordenado a la clase que leyera *El cuarto Rey Mago,* de Van Dyke. Pero, acostumbrado como estaba su espíritu a los más saludables relatos de las revistas baratas, se aburría.

Sin embargo, cuando le llegó a Rosa el turno de leer, se puso a escuchar al advertir que la joven pronunciaba las palabras que leía con cierto respeto. Sólo entonces adquirió alguna importancia aquella basura de Van Dyke. Sabía que era pecado, pero no sentía el menor respeto por la historia del nacimiento del Niño Jesús, la huida a Egipto, y lo que le pasó al niño en el pesebre. Pero pensar así era pecado.

La acechó durante el recreo del mediodía; pero nunca estaba sola, siempre con amigas. En cierto momento, rodeada de un grupo de compañeras, miró por encima del hombro de una y le vio, como si hubiera adivinado que la seguían. Desistió entonces, avergonzado, y fingió que paseaba por el patio sin nada que hacer. Sonó el timbre y comenzó la clase vespertina. Mientras la hermana Celia hablaba en tono misterioso de la Inmaculada Concepción, escribió más notas a Rosa, que rompía para redactar otras a continuación. Se dio cuenta entonces de que no iba a ser capaz de entregarle el regalo personalmente. Otro tendría que hacerlo. La nota con la que quedó satisfecho decía así:

Querida Rosa:
He aquí un regalo navideño
de
Adivina Quién

Le dolió caer en la cuenta de que la joven no aceptaría el regalo si reconocía la caligrafía. Con paciencia terca reescribió la nota con la izquierda, con una caligrafía torpe y anormal. Ahora bien: ¿quién le entregaría el regalo? Observó la cara de los compañeros que le rodeaban. Se percató de que ninguno sería capaz de guardar un secreto. Resolvió el problema levantando dos dedos. Con la dulzarrona amabilidad de la temporada navideña, sor Celia le dio permiso para salir del aula. Anduvo de puntillas por el pasillo lateral, camino del guardarropa.

Identificó inmediatamente el abrigo de Rosa, porque lo había visto muchas veces y lo había acariciado y olido en momentos como aquél. Metió la nota en la cajita y dejó la cajita dentro del bolsillo del abrigo. Abrazó la prenda, aspiró su perfume. En el bolsillo lateral encontró un par de guantes pequeños de cabritilla. Estaban muy gastados, había agujeros en los dedos.

Ay, Ángela María, qué agujeritos más monos. Los besó con ternura. Los queridos agujeritos de los dedos. Agujeritos de miel. No lloréis, agujeritos bonitos, sed valientes y tened calientes sus dedos, sus deditos preciosos.

Volvió al aula y recorrió el pasillo lateral hasta llegar a su pupitre, con la mirada apartada de Rosa hasta donde podía, ya que ella no debía saberlo, ni sospechar nunca que había sido él.

Cuando sonó el timbre que anunciaba el final de las clases, fue el primero en salir por el portal principal y echó a correr por la calle. Aquella noche sabría si a ella le importaba, porque aquella noche era el Banquete del Santo Nombre en Honor de los Monaguillos. Mientras recorría el pueblo, mantenía los ojos bien abiertos por si veía a su padre, pero no fue recompensada esta vigilancia. Sabía que habría tenido que quedarse en la escuela para el ensayo de los monaguillos, pero esta obligación se le había vuelto insoportable por tener detrás a su hermano August y al lado, por compañero, a un merluzo desgraciao de cuarto curso.

Al llegar a casa vio con asombro un árbol de Navidad, una pequeña picea, en el rincón de la ventana de la salita. La madre, que tomaba té en la cocina, no parecía muy interesada por él.

—No sé quién era —dijo—. Un hombre que conducía un camión.

—¿Qué hombre, mamá?

—Un hombre.

—¿Qué clase de camión?

—Un camión y basta.

—¿Qué ponía en el camión?

—No lo sé. No presté atención.

Sabía que su madre no decía la verdad. La despreció por aceptar la vida que llevaban como si se tratase de una prueba martirial. Habría tenido que tirarle el árbol a la cara a aquel hombre. ¡Caridad! ¿Qué se creían que era su familia? ¿Unos pobretones? Sospechaba de la familia Bledsoe, que vivía al lado: de la señora Bledsoe, que no dejaba que su Danny y su Phillip jugasen con el joven Bandini porque era 1) italiano, 2) católico, y 3) un chico de malos instintos que capitaneaba una banda de gamberros que le llenaban de basura el soportal delantero cuando llegaba la víspera de Todos los Santos. Bueno, ¿no había mandado a Danny con una cesta de Acción de Gracias en la pasada celebración del Día de Acción de Gracias, cuando ninguna falta les hacía, y no había ordenado Bandini a Danny que se la llevara otra vez a su casa?

—¿Era un camión del Ejército de Salvación?

—No lo sé.

—¿Llevaba gorra militar el hombre?

—No me acuerdo.

—Era el Ejército de Salvación, ¿verdad? Apuesto a que lo llamó la señora Bledsoe.

—¿Y qué, si fue así? —La madre habló entre dientes—. Quiero que tu padre vea el árbol. Quiero que lo mire y se dé cuenta de lo que nos ha hecho. Hasta los vecinos lo saben. ¡Que se avergüence, que se avergüence!

—A la mierda los vecinos.

Se acercó al árbol con los puños adelantados en actitud combativa.

—A la mierda los vecinos.

El árbol tenía más o menos su estatura, metro y medio. Se abalanzó sobre su frondosidad erizada de espinas y trató de romperle las ramas. Éstas poseían la resistencia de un sauce tierno, se curvaban y crujían, pero sin romperse. Cuando lo hubo deformado a placer, lo arrojó a la nieve del patio delantero. La madre, con los ojos oscuros y meditabundos fijos siempre en la taza de té, no hizo nada por imperdírselo.

—Espero que lo vean los Bledsoe —dijo Arturo—. Así aprenderán.

—Dios le castigará —dijo María—. Pagará por lo que ha hecho.

Pero Arturo pensaba en Rosa y en lo que se pondría durante el Banquete de los Monaguillos. Él, August y su padre se peleaban siempre por la corbata gris, Bandini alegando que era demasiado seria para unos chicos, y él y August replicándole que era demasiado juvenil para un adulto. Pese a todo se la llamaba siempre «la corbata de papá» porque poseía un agradable aire paternal, con sus desvaídas motas de color burdeos y aquel olor que recordaba de lejos a los puros Toscanelli. Le encantaba aquella corbata y se resentía siempre que se la tenía que poner después que

August, ya que entonces le desaparecía de algún modo la misteriosa cualidad paterna. También le gustaban los pañuelos de su padre. Eran mucho mayores que los suyos y como la madre se los lavaba y planchaba muchas veces, habían adquirido suavidad y fragancia, y la vaga sensación de que había allí algo de su padre y de su madre al mismo tiempo. No eran como la corbata, totalmente paterna, y cuando utilizaba uno de los pañuelos de su padre tenía la oscura impresión de reunir a su padre y a su madre, como si fuera parte de una foto, de un orden general de las cosas.

Durante un buen rato estuvo ante el espejo de su cuarto hablando con Rosa, ensayando el modo de acoger el agradecimiento de la muchacha. Estaba convencido ya de que el regalo, de manera automática, ponía su amor al descubierto. El modo de mirarla aquella mañana, el modo de seguirla durante el descanso del mediodía... era indudable que Rosa asociaría aquellos preliminares con la alhaja. Estaba contento. Quería que sus sentimientos salieran a la luz. Imaginó que ella le decía: siempre supe que eras tú, Arturo. Sin dejar de mirarse al espejo, respondió el aludido: «Bueno, Rosa, ya sabes cómo son estas cosas, es Navidad y a uno le gusta hacerle un regalo a su chica».

Ya estaba vestido cuando a las cuatro y media llegaron sus hermanos. No tenía ningún traje completo, pero María siempre le tenía pulcramente planchados los pantalones «nuevos» y la chaqueta «nueva». No casaban, aunque casi casi, porque los pantalones eran de sarga azul y la chaqueta era de corte deportivo, de algodón y color gris.

Al ponerse la ropa «nueva» se transformó en el vivo retrato de la desilusión y la desdicha, sentado ahora en la mecedora, con las manos juntas sobre el vientre. Lo único que hacía cuando se ponía la ropa «nueva», y que siempre le salía mal, era sentarse a esperar que llegara el triste desenlace de la jornada. Faltaban aún cuatro horas para el comienzo del banquete, pero se consolaba un poco pensando que por lo menos aquella noche no comería huevos.

Cuando August y Federico se pusieron a formular un sinfín de preguntas acerca del árbol navideño que yacía roto en el patio de la entrada, la ropa «nueva» le pareció más estrecha que nunca. La noche prometía ser cálida y despejada, por lo que se puso encima de la chaqueta gris un jersei en vez de dos, y se marchó, contento de alejarse de la melancolía de la casa.

Mientras caminaba por la calle de aquel mundo umbrío en blanco y negro, experimentó la serenidad de la cercana victoria: la ansiada sonrisa de Rosa aquella noche, con el regalo alrededor del cuello mientras atendía a los monaguillos en el salón de actos, todas sus sonrisas para él, solamente para él.

¡Ah, qué noche!

Hablaba consigo mismo mientras andaba, aspirando el aire enrarecido de los montes, recreándose en el disfrute de sus posesiones, mi novia Rosa, Rosa para mí y para nadie más. Sólo una cosa le molestaba, aunque por encima: tenía hambre, pero el vacío del estómago le desaparecía entre el júbilo desbordante que le embargaba. Aquellos Banquetes de los Monaguillos, y había asistido ya a siete en toda su vida, eran auténticos hitos gastronómicos. Ya lo tenía todo ante sí: fuentes inmensas de pollo y pavo frito, bollos calientes, boniatos, salsa de arándanos y todo el helado de chocolate que podía comer, y por encima de todo, Rosa con un camafeo colgado del cuello, su regalo, sonriéndole mientras él se atracaba, sirviéndole con los ojazos negros llenos de luz y con aquellos dientes tan blancos que hacían la boca agua.

¡Qué noche! Se agachó para coger un puñado de nieve, se la metió en la boca para que se derritiera y sintió que el líquido frío le corría garganta abajo. Lo hizo muchas veces, chupar la dulzura de la nieve y disfrutar del frío que le producía en la garganta.

La reacción intestinal al líquido frío que tenía en el estómago fue un ligero ronroneo que se le despertó a la altura del ombligo y que le subía hacia la parte del corazón. Cruzaba el puente, estaba en el centro justo cuando todo se puso negro ante sus ojos. Los pies dejaron de responderle. Se puso a respirar con sacudidas espasmódicas. Sin darse cuenta se encontró tendido en el suelo, de espaldas. Se había desplomado en redondo. En el interior del pecho, el corazón se esforzaba por moverse a puñetazos. Se lo apretó con ambas manos, presa del terror. Se moría: ¡Dios Santo, iba a morirse! El puente entero parecía sacudirse con la violencia de los latidos de su corazón.

Pero cinco, diez, veinte segundos más tarde seguía vivo. El terror del instante le oprimía aún el corazón. ¿Qué le había pasado? ¿Por qué se había caído? Se puso en pie y cruzó el puente corriendo, temblando de pavor. ¿Qué había hecho? Porque era el corazón, sabía que el corazón le había dejado de latir y que se había vuelto a poner en marcha, pero ¿por qué?

Mea culpa, mea culpa, mea maxima culpa! El universo misterioso le rodeó por los cuatro costados, se sintió solo en la vía del tren, echó a correr hacia las calles donde pasearan hombres y mujeres, donde no hubiera tanta soledad, y mientras corría le pasó por la cabeza la idea, semejante a un haz de puñales, de que se trataba de un aviso de Dios, de que aquélla era Su forma de decirle que Dios estaba al tanto de su delito: él, el ladrón, el desvalijador del camafeo de su madre, el infractor del decálogo entero. Ladrón, ladrón, proscrito por Dios, criatura infernal que ostentaba una marca negra en el libro del alma.

Le podía ocurrir otra vez. Ya habían transcurrido cinco minutos. Diez minutos. Dios te salve, María, llena eres de gracia, me arrepiento. No corría ya, sino que iba al paso, caminando con energía, como para dominar la temible sobrecarga del corazón. Adiós a Rosa, adiós a los pensamientos amorosos, adiós, adiós, y bienvenidos sean el pesar y el remordimiento.

¡Ah, la astucia de Dios! ¡Ah, qué bondadoso era con él

el Señor, que le daba otra oportunidad, que le advertía que no le iba a quitar la vida por lo pronto!

¡Fijaos! Vedme andar. Respiro. Estoy vivo. Camino hacia Dios. Tengo el alma negra. Dios me la limpiará. Es bondadoso conmigo. Toco el suelo con los pies, uno dos, uno dos. Avisaré al padre Andrew. Tengo que contárselo todo.

Pulsó el timbre que había junto al confesonario. Cinco minutos más tarde aparecía el padre Andrew por la puerta lateral de la iglesia. El sacerdote alto y semicalvo enarcó las cejas, sorprendido de no encontrar más que un alma en aquella iglesia engalanada para la Navidad: y de que dicha alma fuera la de un muchacho, con los ojos cerrados con fuerza, los dientes apretados, los labios agitándose como si musitaran una oración. Sonrió el sacerdote, se quitó el mondadientes de la boca, hizo una genuflexión y se dirigió al confesonario. Arturo abrió los ojos y lo vio avanzar como un bulto de negrura hermosa, seguridad en su presencia y calidez en su sotana negra.

—¿Cómo te va, Arturo? —le preguntó con murmullo agradable.

Puso la mano en el hombro de Arturo. Fue como si le tocara el dedo de Dios. La tensión comenzó a diluírsele bajo la superficie. Una paz muy lejana se le fue instaurando por dentro, a diez mil kilómetros de profundidad.

—Quiero confesarme, padre.

—Claro, Arturo.

El padre Andrew se ajustó la faja y entró en el confesonario. Fue tras él, se arrodilló en el apartado de los penitentes, separado del cura por una rejilla de madera. Tras el ritual de rigor, dijo:

—Ayer, padre Andrew, me puse a revolver el baúl de mi madre y encontré un camafeo colgado de una cadena dorada, y lo afané, padre. Me lo guardé en el bolsillo, no era mío, era de mi madre, mi padre se lo dio a ella, y tuvo que costar muchísimo dinero, pero lo robé de todos modos, y hoy se lo he dado a una chica del colegio. Le di como regalo de Navidad un objeto robado.

—¿Dices que es valioso? —le preguntó el cura.

—Lo parecía —respondió él.

—¿Cuánto?

—Mucho, padre. Estoy muy arrepentido, padre. No volveré a robar mientras viva.

—Escucha, Arturo —le dijo el sacerdote—. Te daré la absolución si me prometes que le dirás a tu madre que le robaste el camafeo. Cuéntaselo como me lo has contado a mí. Si ella lo aprecia y quiere recuperarlo, prométeme que se lo pedirás a la muchacha y que se lo devolverás a tu madre. Ahora bien, si no te atreves, prométeme que le comprarás a tu madre otro igual. ¿No te parece justo, Arturo? Creo que Dios estará de acuerdo si te comprometes a actuar con ecuanimidad.

—Lo devolveré. Haré lo que pueda.

Agachó la cabeza mientras el cura murmuraba los latines de la absolución. Ya estaba. Más sencillo que pegar un sello. Se alejó del confesonario y se arrodilló de cara al altar mayor con las manos unidas sobre el corazón. Éste le latía con sosiego. Estaba salvado. Vivía en un mundo cojonudo a pesar de todo. Estuvo arrodillado un buen rato, disfrutando de la dulzura de haberse librado por los pelos. Eran colegas, él y Dios eran colegas, y Dios era un tío legal. Pero no quiso correr riesgos. Durante dos horas, hasta que el reloj dio las ocho, recitó todas las oraciones que sabía. Todo salía bien. No presentaba ninguna dificultad el consejo del cura. Aquella noche, después del banquete, le contaría a su madre la verdad: que le había robado el camafeo y que se lo había regalado a Rosa. Al principio se quejaría. Pero no durante mucho tiempo. Conocía a su madre y sabía cómo sonsacarle cosas.

Cruzó el patio del colegio y subió las escaleras que conducían al salón de actos. Rosa fue la primera persona que vio en el pasillo. La joven echó a andar directamente hacia él.

—Quiero hablar contigo —le dijo.

—Claro, Rosa.

La siguió escaleras abajo, temeroso de que fuera a ocurrir algo horrendo. Ya al final de las escaleras, esperó a que Arturo abriese la puerta, resuelta la barbilla, envuelta prietamente en el abrigo de pelo de camello.

—Tengo mucha hambre —dijo él.

—¿De veras? —repuso ella con voz fría, desdeñosa.

Se quedaron en el tramo que había del otro lado de la puerta, en el borde del rellano de cemento. La joven alargó la mano.

—Toma —le dijo—. No lo quiero.

Era el camafeo.

—No acepto objetos robados —añadió—. Mi madre dice que seguramente lo robaste.

—¡Mentira! —mintió el joven—. ¡Mentira!

—Cógelo —dijo ella—. No lo quiero.

Arturo se lo metió en el bolsillo. Sin decir palabra, Rosa se dio la vuelta y entró en el edificio.

—¡Pero Rosa!

La interpelada se volvió en la puerta con una sonrisa de dulzura.

—No deberías robar, Arturo.

—¡Yo no he robado! —Se lanzó sobre ella, la apartó de la entrada y le dio un empujón. La muchacha retrocedió hasta el borde del rellano y cayó en la nieve tras agitarse y mover los brazos inútilmente para mantener el equilibrio. En el momento de tocar tierra, abrió la boca y lanzó un grito.

—No soy un ladrón —dijo él, mirándola desde lo alto.

Saltó del descansillo a la acera y echó a correr lo más aprisa que pudo. Observó el camafeo durante un segundo al llegar a la esquina y lo arrojó con todas sus fuerzas sobre el tejado de la casa de dos pisos que flanqueaba la calle. Entonces reanudó la caminata. A la mierda el Banquete de los Monaguillos. Ya no tenía hambre.

7

NOCHEBUENA. Svevo Bandini volvía a casa, zapatos nuevos en los pies, desafío en la quijada, culpa en el corazón. Bonitos zapatos, Bandini, ¿de dónde los has sacado? No os importa. Tenía dinero en el bolsillo. Lo apretó con fuerza entre los dedos. ¿De dónde has sacado el dinero, Bandini? Jugando al póquer. He estado jugando durante diez días.

¡No me digas!

Claro que esto era lo que contaba él, pero si su mujer no le creía, que se fuera a la porra. Hundía los zapatos negros en la nieve, aplastándola con los tacones nuevos y de bordes afilados.

Le esperaban: sin saber cómo, estaban al tanto de su llegada. La casa misma parecía reflejarlo. Todo estaba en su sitio. María rezaba el rosario muy aprisa junto a la ventana, como si no tuviera mucho tiempo: otro puñadito de oraciones antes de que él llegara.

Felices Pascuas. Los chicos habían abierto los regalos. Uno para cada uno. Pijamas de la abuela Toscana. Formaron un círculo alrededor de los pijamas: a la espera. ¿De qué? No saberlo estimulaba: algo iba a suceder. Pijamas azules y verdes. Se los habían puesto porque no tenían otra cosa que hacer. Pero iba a pasar algo. En el silencio de la espera resultaba extraordinario pensar, sin decirlo, que papá iba a volver a casa.

Federico tuvo que estropearlo.

—Apuesto a que papá vuelve esta noche.

El hechizo quedó roto. Era un pensamiento que todos compartían sin decir nada. Silencio. Federico lamentó sus palabras y empezó a preguntarse por qué no le habían respondido.

Pasos en el soportal. Aunque todos los hombres y mujeres del mundo hubieran pisado aquel soportal, nadie lo habría hecho de aquel modo. Se quedaron mirando a María. Ésta contuvo el aliento y se puso a rezar otra oración con premura. Se abrió la puerta y entró. Cerró con cuidado, como si desde niño se hubiera dedicado a la ciencia exacta de cerrar puertas.

—Hola.

Él no era un chicuelo a quien hubieran sorprendido robando canicas ni un perro a quien hubieran castigado por romper un zapato. Era Svevo Bandini, un hombre hecho y derecho que tenía mujer y tres hijos.

—¿Dónde está mamá? —preguntó, mirándola directamente a ella, igual que un borracho que quiere demostrar su capacidad para formular preguntas serias. La vio encogida en el rincón, exactamente donde sabía que estaba, ya que al ver su perfil desde la calle había sufrido un sobresalto.

—Pues ahí.

Te odio, se dijo ella. Quiero sacarte los ojos con estos dedos y dejarte ciego para siempre. Eres un animal, me has hecho daño y no descansaré hasta que te lo devuelva.

Papá con zapatos nuevos. Crujían a cada paso que daba como si contuvieran ratoncitos muy pequeños. Cruzó la estancia, camino del cuarto de baño. Ruido extraño: papá en casa otra vez.

Ojalá te mueras. No volverás a tocarme. Te odio, ¡Dios mío, que mi propio marido me haya hecho esto!, te odio.

Al volver se quedó en el centro de la estancia, de espaldas a su mujer. Sacó el dinero del bolsillo. Y dijo a sus hijos:

—Podríamos ir al centro antes de que cerraran las tiendas, vosotros, yo y mamá, todos juntos, a comprar regalos para todos.

—¡Yo quiero una bicicleta! —exclamó Federico.

—Claro, tendrás una bicicleta.

Arturo no sabía lo que quería, ni August tampoco. El mal que había hecho le retorcía las entrañas a Bandini, pero sonreía y dijo que ya encontrarían algo para todos. Un buen árbol de Navidad. El mayor de todos.

Lo imagino con la otra en los brazos, la huelo en sus ropas, le ha llenado la cara de besos y el pecho de caricias. Me da asco y quiero hacerle daño hasta que se muera.

—¿Y qué le compramos a mamá?

Se volvió para darle la cara, con la mirada puesta en el dinero mientras desenrollaba los billetes.

—¡Cuánto dinero! Será mejor dárselo a mamá, ¿no? Lo ha ganado todo papá jugando a las cartas. Papá es un jugador estupendo.

Alzó los ojos y la miró, la vio con las manos sujetas a los brazos de la mecedora, como dispuesta a saltar sobre él, y se dio cuenta de que la temía, y sonrió, no de alegría, sino de miedo, porque el mal que había hecho le restaba valor. Agitó los billetes como un abanico: había de cinco y de diez, incluso uno de cien, y a semejanza de un condenado que se dirige al lugar del castigo, mantuvo la sonrisita tonta mientras se acercaba y le alargaba los billetes, esforzándose por pensar en las antiguas palabras, las suyas, las de él y ella, su lenguaje común. María se aferró horrorizada a la mecedora, luchando por no apartarse de un salto de la sierpe culpable que configuraban los rasgos nauseabundos de la cara del marido. Se acercó él un poco más y quedó a escasos centímetros del pelo de la mujer, ridículo a más no poder con aquellas muestras de desagravio, hasta que María ya no pudo resistirlo, ya no pudo contenerse, y con una brusquedad que también la sorprendió a ella, se abalanzó sobre los ojos del marido con los diez largos dedos por delante y se puso a darle arañazos, fuerza silbante en aquellos diez dedos largos que dibujaron franjas de sangre en la cara del marido, que gritó y dio un paso atrás, en la pechera de la camisa, y en el cuello de carne y en el cuello de la prenda, que recogieron las gotas veloces de color rojizo. ¡Pero sus ojos, Dios mío, mis ojos, mis ojos! Y retrocedió y se los tapó con las manos, pegado a la pared, con la cara contraída de dolor, temeroso de apartar las manos, temeroso de haberse quedado ciego.

—María —dijo entre sollozos—. Dios mío, ¿qué me has hecho?

Veía; de manera confusa por entre el velo rojo, veía, y dio unos cuantos pasos sin rumbo fijo.

—María, María, ¿qué has hecho? ¿Qué has hecho?

Se puso a dar vueltas por la estancia. Oía el llanto de los hijos, las palabras de Arturo: «Hostia, hostia, hostia». Dio vueltas y más vueltas, sangre y lágrimas en los ojos.

—*Jesu Christi,* ¿qué me ha pasado?

En el suelo estaban los billetes verdes que golpeaba y pisaba con los zapatos nuevos, gotitas rojas sobre la reluciente puntera negra, vueltas y más vueltas, gimiendo y buscando a tientas la puerta, el exterior, la calle, la noche fría, la nieve, hundido en el montón de nieve del patio sin dejar de gemir, cogiendo nieve con ambas manos, como si de agua se tratase, y apretándosela contra la cara que le ardía. La nieve blanca le resbalaba sin cesar de las manos y volvía a la tierra, roja y apelmazada. Los hijos se habían quedado dentro de la casa, petrificados, con los nuevos pijamas puestos, ante la abierta puerta de la calle, la luz cegadora de la estancia impidiéndoles ver a un Svevo Bandini que se enjugaba el rostro con la sábana del firmamento. María seguía en la mecedora. No se movía, fijos los ojos en la sangre y el dinero que cubrían el suelo de la habitación.

Me cago en ella, se dijo Arturo. Ojalá se pudra.

Lloraba, herido por la humillación que había sufrido su padre; su padre, aquel hombre siempre firme y poderoso, y le había visto retroceder, sufrir, llorar, a su padre, que nunca lloraba, que jamás retrocedía. Quiso estar con su padre, se puso los zapatos y salió corriendo, hasta donde Bandini yacía encogido, atragantado y tembloroso. Pero le satisfizo comprobar que decía algo a pesar de que se asfixiaba, que maldecía y daba rienda suelta a la cólera. Se estremeció cuando le oyó decir que juraba vengarse. La mataré, lo juro por Dios, la mataré. Comenzaba a recuperarse. La nieve le había estimulado la circulación sanguínea. Jadeaba, se miraba las ropas manchadas de sangre, las manos goteando perlas carmesí.

—Alguien me las va a pagar —dijo—. *Sangue della Madonna!* ¡Esto no va a quedar así!

—Papá...

—¿Qué quieres?

—Nada.

—Entra en casa entonces. Vete con esa madre loca que tienes.

Aquello fue todo. Echó a andar por la nieve, alcanzó la acera y se alejó por la calle. El muchacho le vio marchar, con la cara levantada hacia la noche. Era su forma de andar, titubeante pese a toda su determinación. Pero no; se volvió tras recorrer unos metros:

—Feliz Navidad para vosotros tres. Coged el dinero, id al centro y compraos lo que os dé la gana.

Siguió andando, la barbilla alta, avanzando en la dirección del viento frío, dándose ánimos a pesar de la herida profunda que ya no sangraba.

Volvió a la casa el muchacho. El dinero no estaba en el suelo ya. Un vistazo a Federico, que sollozaba con amargura mientras sostenía un fragmento de billete de cinco dólares le explicó lo sucedido. Abrió la estufa. Los restos negros del papel quemado despedían hilos delgado de humo. Cerró la estufa y observó el suelo, limpio salvo por las manchas de sangre que se secaban ya. Miró con odio a su madre. Ésta no se movía, ni siquiera miraba a ningún sitio, aunque los labios se le abrían y cerraban, porque había reanudado el rosario.

—¡Feliz Navidad! —dijo en tono despectivo.

Federico gemía. August estaba demasiado impresionado para hablar.

Sí, una Navidad muy feliz. ¡Ah, papá, papá, dale una paliza! Los dos, papá, tú y yo, porque sé cómo te sientes, porque me ha pasado a mí también, pero debieras haber hecho lo que yo, papá, debieras haberle zurrado de lo lindo, igual que yo, y te sentirías mejor. Porque no puedo soportarlo, papá, tú solo por ahí con la cara ensangrentada, no lo soporto.

Salió al soportal y tomó asiento. Su padre llenaba la noche. Vio las manchas rojas en el lugar donde Bandini se había refugiado y donde se había aplicado nieve a la cara. Sangre de papá, mi sangre. Abandonó el soportal y se puso a dar patadas a la nieve para limpiar la zona, hasta que la despejó. Nadie lo vería, nadie. Entró entonces en la casa.

Su madre no se había movido. ¡Cuánto la odiaba! Dominado por un impulso, arrebató el rosario de manos de la madre y lo rompió en pedazos. Ella le observó, igual que una mártir. Se puso en pie y siguió hasta el exterior al hijo que aún llevaba el rosario roto en la mano. Arturo lo lanzó a lo lejos, a la nieve, donde se esparció como semillas. La madre se aventuró en la nieve, en pos del rosario.

Sin dar crédito a sus ojos, la vio hundirse hasta las rodillas en la superficie blanca, mientras miraba en derredor como persona aturdida. Encontró algunas cuentas dispersas mientras cogía un puñado de nieve tras otro. Arturo sintió asco. Su madre revolvía el lugar mismo en que la sangre de su padre había coloreado la nieve.

A la mierda con ella. Se marchaba. Quería estar con su padre. Se vistió y anduvo calle abajo. Felices Pascuas. El pueblo se había pintado de verde y blanco con motivo de las fiestas. Cien dólares en la estufa, ¡y que le dieran por el culo a él, y a sus hermanos! Se podía ser persona religiosa e intransigente, pero ¿por qué tenían que sufrir todos? Demasiado Dios había en el espíritu de su madre.

¿Y adónde ir ahora? Lo ignoraba, pero a casa otra vez, con su madre, desde luego que no. Comprendía a su padre. Un hombre tenía que hacer cosas: no tener nunca nada que hacer era demasiado aburrido. Tenía que admitirlo: si él pudiera elegir entre María y Effie Hildegarde, escogería siempre a Effie. Cuando las italianas llegaban a cierta edad, las piernas se les adelgazaban, se les hinchaba la barriga, los pechos se les caían y perdían el encanto. Se esforzó por imaginar a Rosa Pinelli con cuarenta años. Las piernas se le adelgazarían como a su madre; el estómago se le pondría como un tonel. Pero fue incapaz de imaginarlo. ¡Rosa, con lo encantadora que era! Sí deseó en cambio que se muriese. Fantaseó con que una enfermedad la consumía hasta que tenía que celebrarse el entierro. Aquello le pondría muy contento. Acudiría junto al lecho de la moribunda y se quedaría allí. Ella, sin fuerzas ya, le cogería la mano entre sus dedos calientes y le diría que se iba a morir, y él respondería qué le vamos a hacer, Rosa; tuviste una oportunidad, pero yo te recordaré siempre, Rosa. A continuación, el entierro, el llanto, y a Rosa la metían bajo tierra. Pero él mantendría una actitud fría ante todo ello, se limitaría a estar y, habida cuenta de sus grandes proyectos, se sonreiría un poco. Años después, en el campo de béisbol de los Yanquis, por encima del griterío de la multitud, recordaría a una joven agonizante que le cogió la mano y le pidió perdón; sólo se detendría en aquel recuerdo unos segundos, tras lo que se volvería hacia las mujeres de la multitud y les haría una señal con la cabeza, a sus mujeres, ninguna italiana entre ellas; serían rubias, altas y sonrientes, por docenas, como Effie Hildegarde, y ni una sola italiana.

¡Dale pues una somanta, papá! Yo estoy contigo, colega. Algún día, lo haré yo también, algún día tendré una novia igual que ella, pero no será de las que me arañen la cara, no será de las que me llamen ladronzuelo.

Aunque, ¿cómo sabía que Rosa no se estaba muriendo? Bueno, en cierto modo sí, igual que todo el mundo, que, cada minuto que pasaba, se acercaba un poco más a la tumba. Pero supongamos, sólo por hacer una puñetera suposición, que Rosa se estuviera muriendo de verdad. ¿Qué le pasó a su amigo Joe Tanner el año anterior? Muerto mientras iba en bicicleta; un día vivo y al otro en el ataúd. ¿Y qué le pasó a Nellie Frazier? Una piedrecilla de nada en el zapato; no se la pudo quitar; infección y, de golpe y porrazo, defunción y entierro.

¿Cómo sabía que a Rosa no la había atropellado un automóvil desde que la viera por última y espantosa vez? Cabía la posibilidad. ¿Cómo sabía que no había muerto electrocutada? Cosas así sucedían continuamente. ¿Por qué no le había podido ocurrir a ella? Como es lógico, en realidad no quería que ella muriese; en el fondo, en el fondo, no; por éstas y que me caiga muerto ahora mismo; pero con todo y con eso, cabía la posibilidad. Pobre Rosa, tan joven y tan guapa... y muerta.

Ya en el centro, se puso a dar vueltas, sin ver nada interesante, sólo gente con prisa y cargada de paquetes. Se encontraba ante los Almacenes Wilkes, contemplando los artículos deportivos del escaparate. Se puso a nevar. Miró hacia las montañas. Estaban cubiertas de nubes negras. Una premonición extraña se apoderó de él: Rosa Pinelli había muerto. Estaba segurísimo de que había muerto. Lo único que tenía que hacer era recorrer tres manzanas por Pearl Street y otras dos hacia el este por la Calle Doce, y verlo con sus propios ojos. Podía ir andando hasta allí y comprobar que en la puerta principal de la casa de los Pinelli había una corona fúnebre. Estaba tan seguro que echó a andar en la dirección mencionada sin pensarlo dos veces. Rosa había muerto. Era un profeta, un espíritu capacitado para entender fenómenos anormales. Así pues, había ocurrido al final: lo que deseaba se había hecho realidad y Rosa había muerto.

Vaya, vaya; mundo curioso aquél. Alzó los ojos al cielo, a los millones de ampos que descendían hacia la tierra.

El fin de Rosa Pinelli. Habló en voz alta, dirigiéndose a oyentes imaginarios. Yo estaba delante de los Almacenes Wilkes y de pronto tuve la corazonada. Me dirigí a la casa, y, efectivamente, había una corona en la puerta. Ay, Rosa, dulce criatura. No quería verla muerta. Corrió entonces, la premonición en declive, y aumentó la velocidad para llegar mientras durase aquélla. Lloraba: oh, Rosa, por favor, no te mueras, Rosa. Quiero que estés viva cuando llegue. Ya voy, Rosa, amor mío. Directamente desde el estadio de los Yanquis en un avión especial. Aterricé en los jardines de la casa consistorial, y a punto estuve de cargarme a trescientas personas que estaban allí observándome. Pero lo he conseguido, Rosa. Y aquí estoy, sano y salvo, a la cabecera de tu cama, justo a tiempo, y el médico dice que vivirás y por eso debo irme, para no volver jamás. Vuelvo con los Yanquis, Rosa. A Florida, Rosa. Entrenamiento de primavera. Los Yanquis también me necesitan; pero sabrás donde estoy, Rosa, no tienes más que leer los periódicos y te enterarás.

No había ninguna corona fúnebre en la puerta de los Pinelli. Lo que vio en su lugar, y que le hizo abrir la boca horrorizado hasta que vio mejor por entre la nieve cegadora, fue una corona navideña. Se puso muy contento y se alejó corriendo entre la nevasca. ¡Claro que estoy contento! ¿Cómo voy a desear que se muera nadie? Pero no estaba contento, no estaba contento en absoluto. Él no era ningún campeón que jugase con los Yanquis. No había llegado en avión especial. No se iba a Florida. Era Nochebuena en Rocklin, Colorado. Caían chuzos de punta y su padre vivía con una mujer llamada Effie Hildegarde. Los dedos de su madre habían desgarrado la cara de su padre y sabía que en aquellos instantes su madre rezaba, sus hermanos lloraban y las cenizas que había en la estufa de la salita habían sido hacía muy poco un billete de cien dólares.

¡Felices Pascuas, Arturo!

8

UNA carretera solitaria al oeste de Rocklin, estrecha y menguante, que desaparece bajo la nieve que cae. Ahora sí que nieva de verdad. La carretera discurre hacia el oeste y hacia arriba, es una carretera en pendiente. Más allá se alzan las montañas. ¡La nieve! Sepulta el mundo y delante hay un vacío pálido, nada más que la angosta carretera que se va estrechando a pasos agigantados. Una carretera con trampas, llena de recodos y cuestas para sortear a los pinos encogidos que alargan los blancos brazos hambrientos para atraparla.

María, ¿qué le has hecho a Svevo Bandini? ¿Qué me has hecho en la cara?

Un hombre fornido avanza dando traspiés, hombros y brazos cubiertos de nieve. En aquel punto es cuesta arriba; asciende con esfuerzo, la nieve profunda le frena las piernas, hombre que vadea un agua que no se ha derretido.

¿Hacia dónde ahora, Bandini?

Instantes atrás, hacía apenas cuarenta y cinco minutos, había bajado corriendo por aquella carretera, totalmente seguro, ponía a Dios por testigo, de que no volvería nunca. Cuarenta y cinco minutos... ni siquiera una hora; y habían sucedido demasiadas cosas y ahora volvía por una carretera que había esperado olvidar.

María, ¿qué has hecho?

Svevo Bandini, un pañuelo ensangrentado cubriéndole la cara y la ira del invierno cubriendo a Svevo Bandini mientras subía por la carretera, camino de la casa de la viuda Hildegarde, hablaba con los copos de nieve mientras subía.

Cuéntaselo a los copos, Bandini; cuéntaselo mentras te sacudes las manos heladas de frío. Bandini sollozó: un adulto, de cuarenta y dos años, lloraba porque era Nochebuena y volvía al pecado, porque preferiría estar con sus hijos.

María, ¿qué has hecho?

Escucha, María, las cosas han sucedido así: hace diez días, tu madre escribió la carta, me puse hecho un basilisco y me fui de casa porque no soporto a esa mujer. Tenía que irme cuando se presentase. Y me fui. Tengo muchos problemas, María. Los niños. La casa. La nieve: mira la nieve esta noche, María. ¿Crees que cuando cae puedo poner ladrillos? Además, estoy preocupado y tu madre va a venir, entonces me digo: oye, me voy al centro a tomar unas copas. Porque tengo problemas. Porque tengo niños.

Ay, María.

Había ido al centro, a los Billares Imperial, y allí se había encontrado con su amigo Rocco Saccone y Rocco le había dicho que fueran a su cuarto, para tomar una copa, fumarse un cigarro y charlar. Viejos amigos, él y Rocco: dos hombres en una habitación llena de humo de tabaco, que bebían whisky en un día de perros y que charlaban. Navidad: unas copas. Felices Pascuas, Svevo. *Gratia,* Rocco. Una Navidad feliz.

Rocco había mirado a su amigo a la cara y le había preguntado por sus problemas, y Bandini se los había contado: no hay dinero, Rocco, los chicos y la Navidad. Y la suegra, así se pudra. Rocco era también un hombre pobre, aunque no tan pobre como Bandini, y le ofreció diez dólares. ¿Cómo iba Bandini a aceptarlos? Ya le había pedido mucho dinero prestado a su amigo y ahora aquello. No, Rocco, gracias. El licor que bebo es tuyo y ya es suficiente. Así pues, *a la salute!,* por los viejos tiempos...

Un trago y a continuación otro, dos hombres en una habitación con los pies apoyados en el radiador humeante. Entonces sonó el timbre que había sobre la puerta de la habitación de la pensión de Rocco. Una vez y luego otra:

el teléfono. Rocco se incorporó de un salto y salió corriendo al pasillo, donde estaba el teléfono. Volvió al cabo de un rato, con la cara relajada y complacida. Rocco recibía muchas llamadas en la pensión, ya que había puesto un anuncio en el *Rocklind Herald*:

Rocco Saccone, albañil y constructor.
Reparaciones de todas clases.
Especializado en obras de hormigón.
Llamar a Pensión M. R.

Es la verdad, María. Una mujer llamada Hildegarde había llamado a Rocco y le había dicho que la chimenea no le funcionaba. ¿Podía ir Rocco para arreglarla en seguida?

Rocco, su amigo.

—Ve tú, Svevo —le dijo—. Así tendrás unos dólares antes de que la Navidad se te eche encima.

Fue así como empezó. Con la bolsa de las herramientas de Rocco a la espalda, salió de la pensión, cruzó el pueblo en dirección oeste y tomó aquella misma carretera al caer la tarde hace diez días. Aquella mismísima carretera, y recordó que bajo aquel árbol de allí, había visto una ardilla que se le había quedado mirando al pasar él. Unos dólares por arreglar una chimenea; una chapuza de tres horas acaso, acaso más: unos cuantos dólares.

¿La viuda Hildegarde? Pues claro que sabía quién era, ¿y quién no en Rocklin? Un pueblo de diez mil habitantes y una mujer que poseía casi toda la tierra: ¿quién de aquellas diez mil personas no la iba a conocer? Pero con la que no tenía trato suficiente para dirigirle el saludo, ésa era la verdad.

Aquella misma carretera, diez días atrás, con un poco de cemento y treinta kilos de herramientas de albañil a la espalda. Fue la primera vez que vio la casa de campo de la Hildegarde, lugar célebre en los alrededores de Rocklin por su elegante factura de piedra. Al subir aquella tarde, la casa baja, construida con losas blancas y enclavada entre los altos pinos, se le antojó un sitio de ensueño: un lugar irresistible, como el que tendría algún día si podía permitírselo. Durante un rato largo la estuvo mirando y remirando, con ganas de haber podido intervenir en su edificación, en los placeres de la albañilería, en la colocación de aquellas losas blancas, dóciles en manos de un albañil, pero lo bastante resistentes para sobrevivir a una civilización.

¿Qué piensa un hombre cuando se acerca a la puerta blanca de una casa así y alarga la mano hacia la pulida aldaba de bronce que semeja una cabeza de zorro?

Mal, María.

Nunca había dirigido la palabra a aquella mujer hasta el instante en que le abrió la puerta. Una mujer más alta que él, rellena y de amplia humanidad. Fijo: una mujer de buen ver. No como María, sino elegante. Pelo negro, ojos azules, una mujer que parecía tener dinero.

El saco de las herramientas le pesaba.

Así que era Rocco Saccone, el albañil. ¿Qué tal?

No, pero era amigo de Rocco. Rocco estaba enfermo.

No importaba quién fuera, mientras pudiese arreglar una chimenea. Entre, señor Bandini, la chimenea está allí. Entró pues, el sombrero en una mano, el saco de las herramientas en la otra. Una casa hermosa, alfombras indias en el suelo, vigas grandes que cruzaban el techo, ebanistería trabajada con laca amarilla. Le habría costado veinte, tal vez treinta mil dólares.

Hay cosas que un hombre no puede contar a su mujer. ¿Entendería María el apocamiento que había sentido al cruzar aquella preciosa estancia, la turbación que le había embargado al tambalearse cuando sus zapatos gastados, húmedos a causa de la nieve, habían resbalado en el reluciente suelo amarillo? ¿Podía contar a María que aquella mujer atractiva se había compadecido de él? Era verdad: aunque le daba la espalda, intuyó el inmediato desconcierto de la viuda por su causa, por su anómala torpeza.

—Está muy resbaladizo, ¿verdad?

La viuda se echó a reír.

—Yo estoy siempre resbalándome.

Aunque aquello fue para ayudarle a disimular su turbación. Una nadería, un gesto amable para que se sintiera cómodo.

A la chimenea no le ocurría nada complicado, unos ladrillos sueltos en el revestimiento del conducto, una chapucilla de una hora. Pero todo oficio tiene su truco y la viuda era rica. Al incorporarse después de inspeccionar el desperfecto, le dijo que la reparación le costaría nada menos que quince dólares, precio del material incluido. La viuda no puso ninguna objeción. A Bandini se le ocurrió entonces con resentimiento que el motivo de la liberalidad femenina era el estado de sus zapatos: le había visto las suelas gastadas al arrodillarse para inspeccionar el hogar. La forma en que le miraba, de arriba abajo, aquella sonrisa de compasión, le hablaron de una comprensión que hizo que el invierno se le concentrase en la carne. No le podía contar aquello a María.

—Siéntese, señor Bandini.

El hondo sillón de lectura lo encontró voluptuoso y cómodo, un sillón del mundo de la viuda, y se acomodó en él y observó con detenimiento la bonita habitación, ordenada y llena de libros y objetos de adorno. Una mujer culta que se refugiaba en el lujo de su educación. Ella se había sentado en el diván, las piernas gordezuelas enfundadas en seda pura, piernas ricas que hacían raspar la seda cada vez que se cruzaban ante sus ojos maravillados. Le pidió que tomara asiento y charlase con ella. Él se sentía tan agradecido que no podía articular palabra, sólo balbucir gruñidos de alegría ante cualquier cosa que dijera ella, aquella profunda garganta de lujo de la que fluían palabras adineradas y exactas. Comenzó a hacerse preguntas respecto de ella, con los ojos dilatados por la curiosidad que le despertaba aquel mundo protector, limpio y elegante, como la seda cara que concretaba el lujo gordezuelo de sus bonitas piernas.

María se habría burlado de saber qué había dicho la viuda, porque él había sentido un nudo enmudecedor en una garganta demasiado abrumada por la extrañeza del momento: la mujer, allí mismo, la rica señora Hildegarde, una mujer que valía cien, quizá doscientos mil dólares, y a poco más de un metro de distancia: tan cerca que la habría tocado con sólo estirar la mano.

¿Era italiano entonces? Magnífico. Hasta el año pasado no había podido viajar a Italia. Preciosa. Tenía que sentirse muy orgulloso de aquella herencia. ¿Sabía que Italia era la cuna de la civilización occidental? ¿Había visto alguna vez el Campo Santo, la basílica de San Pedro, los frescos de Miguel Ángel, el Mediterráneo azul? ¿La Riviera italiana?

No, no había visto aquellas cosas. Con palabras sencillas le contó que procedía de los Abruzos, que nunca había estado tan al norte, que nunca había estado en Roma. De pequeño había trabajado duro. No había tiempo para más.

¡Los Abruzos! La viuda lo sabía todo. En tal caso, era probable que hubiese leído las obras de D'Annunzio, que también era de los Abruzos.

No, no había leído a D'Annunzio. Había oído hablar de él, pero nunca había leído nada suyo. Sí, sabía que el gran hombre era de su misma provincia. Le complacía. Y dio las gracias a D'Annunzio. Ya tenían algo en común, aunque advirtió con desaliento que era incapaz de decir nada más al respecto. Durante un minuto entero le observó la viuda, inexpresivos sus ojos azules cuando se concentraron en los labios del hombre. Apartó él la cabeza, confuso, con la mirada fija en las vigas macizas que cruzaban la sala, las cortinas llenas de adornos, las chucherías repartidas con meticulosa profusión por doquiera.

Una mujer amable, María: una mujer buena que acudía en su ayuda para relajar la conversación. ¿Le gustaba poner ladrillos? ¿Tenía familia? ¿Tres hijos? Maravilloso. También ella había querido tener hijos. ¿Era también italiana su mujer? ¿Hacía mucho que vivía en Rocklin?

El tiempo. La mujer habló del tiempo. Ah. El hombre habló atropelladamente de los agobios del tiempo. Se lamentó casi gimiendo del estancamiento laboral que padecía, y expuso el odio brutal que sentía hacia aquellos días fríos y nublados. Hasta que, asustada por el parloteo resentido del hombre, consultó ella el reloj y le dijo que volviera al día siguiente por la mañana para la reparación de la chimenea. Ya en la puerta, Bandini esperó, sombrero en mano, las palabras de despedida de la mujer.

—Póngase el sombrero, señor Bandini —le dijo sonriendo—. Se va a resfriar. —Sonriendo él también, con las axilas y el cuello inundados de sudor nervioso, se puso el sombrero, confuso y sin saber qué decir.

Pasó la noche con Rocco. Con Rocco, María, no con la viuda. Al día siguiente, tras comprar ladrillos refractarios en el almacén, volvió a la casa de la viuda para reparar la chimenea. Puso un trapo sobre la alfombra, mezcló la argamasa en un cubo, quitó los ladrillos sueltos del revestimiento y puso los ladrillos nuevos en su lugar. Resuelto a que la faena le durase una jornada entera, quitó todos los ladrillos refractarios. Habría podido terminar en una hora, habría podido quitar sólo dos o tres, pero a mediodía estaba aún por la mitad. Apareció entonces la viuda, serena, procedente de una de las habitaciones que olían a perfume. Otra vez el nudo en la garganta. Otra vez sin poder hacer nada salvo sonreír. ¿Cómo le iba el trabajo? Lo había hecho todo a conciencia: ni una gota de argamasa deslucía la cara de los ladrillos que había puesto. Hasta el trapo estaba limpio, los ladrillos viejos apilados con limpieza a un lado. Ella lo advirtió y él se sintió complacido. No le incitó ningún deseo lujurioso cuando ella se inclinó para ver los ladrillos nuevos del interior del hogar y se le destacó el trasero ceñido y apetitoso al ponerse en cuclillas. No, María, ni sus tacones altos ni su blusa transparente ni la fragancia de su pelo negro le despertaron la menor intención de serle infiel. Al igual que antes, la contemplaba con asombro y curiosidad: una mujer que tendría cien, tal vez doscientos mil dólares en el banco.

No pudo poner en práctica su plan de bajar a comer al pueblo. En cuanto lo oyó ella, insistió en que se quedara y fuese su invitado. Los ojos del hombre evitaron los fríos ojos azules de la mujer. Bajó la cabeza, removió el trapo del suelo con el pie y se excusó. ¿Comer con la viuda Hildegarde? ¿Sentarse a la mesa de ella y meterse comida en la boca mientras tenía delante a aquella mujer? Apenas pudo pronunciar las palabras de disculpa.

—No, no. Se lo agradezco mucho, señora Hildegarde. Un millón de gracias, pero no, por favor. Gracias.

Pero se quedó, temeroso de ofenderla. Sonriendo mientras alargaba las manos sucias de argamasa, le preguntó si podía lavarse y ella le condujo al cuarto de baño por el pasillo blanco e inmaculado. El cuarto de baño parecía un joyero: relucientes baldosas amarillas, pila amarilla, visillos malva de organdí en la ventana alta, un búcaro de flores moradas en el tocador con espejo, frascos de perfume de color amarillento, un juego amarillo de cepillo y peine. Se giró con precipitación y a punto estuvo de salir corriendo. No se habría sentido tan impresionado si ella hubiera estado desnuda en aquel instante. Sus manos sucias eran indignas de tocar lo que veía. Prefería el fregadero de la cocina, como hacía en casa. Pero la desenvoltura de la mujer le tranquilizó y entró en el cuarto de baño lleno de pavor, casi de puntillas, y se quedó ante la pila con indecisión angustiosa. Abrió el grifo con el codo, temeroso de dejar la huella de sus dedos. El jabón verde y aromático no había ni que tocarlo: se apañó como pudo con agua sola. Cuando terminó, se secó las manos con los faldones de la camisa, haciendo caso omiso de las toallas mullidas y verdes que colgaban de la pared. Tenía miedo de lo que pudiera suceder durante la comida. Antes de salir del cuarto de baño, se puso de rodillas y limpió con la manga de la camisa un par de salpicaduras de agua...

Comida consistente en lechuga, piña y requesón. Sentado a la mesa de la cocina, con una servilleta rosa en las rodillas, se puso a comer, aunque no sin recelar que se trataba de una broma, que la viuda se divertía a su costa. Pero ella también comió y con tal fruición que a lo mejor era cierto que aquello podía comerse. Si María le hubiese puesto aquella comida, se la habría tirado por la ventana. A continuación, la viuda le sirvió té en una delicada taza de porcelana. Había dos pastitas en la bandeja, no mayores que la uña de su pulgar. Té con pastas. *Diavolo!* Siempre había identificado el té con el afeminamiento y la debilidad y no le gustaban los dulces ni las galletas. Pero la viuda, que mordisqueaba la pasta que sujetaba con los dedos, sonreía con gracia inenarrable mientras él se metía las galletas en la boca como quien rechaza un medicamento de mal sabor.

Mucho antes de que la mujer terminase de engullir la segunda pastita, ya estaba él listo, la taza de té sin una gota, y recostado sobre las patas traseras del asiento, con el estómago deshecho en retortijones y protestas por el extraño combustible con que lo había llenado. No habían hablado durante toda la comida, ni una palabra. La circunstancia le hizo advertir que no tenían nada que decirse. Ella sonreía de vez en cuando, en una ocasión por sobre el borde de la taza de té. El hecho le turbó y entristeció: la vida de los ricos, dictaminó, no era para él. En casa habría comido huevos fritos con un cacho de pan, y lo habría regado todo con un vaso de vino.

Al terminar la viuda, y tras rozarse las comisuras de la boca carminácea con la punta de la servilleta, le preguntó si quería algo más. Fue a preguntarle «¿Qué más tiene?», pero lejos de ello se tocó el estómago, y se lo acarició con un bufido.

—No, gracias, señora Hildegarde. Estoy lleno... lleno hasta las orejas.

La mujer esbozó una sonrisa al oír aquello. Con las manos colgadas del cinturón, permaneció recostado en el asiento, chupándose los dientes y con ganas de fumarse un puro.

Una mujer muy elegante, María. Una mujer que adivinaba los deseos de uno.

—¿Fuma usted? —le preguntó la viuda, sacando una cajetilla de cigarrillos del cajón de la mesa. Del bolsillo de la camisa sacó él la retorcida colilla de un puro Toscanelli, le quitó de un mordisco la punta, que escupió al suelo, encendió una cerilla y aspiró una bocanada. La mujer insistió en que se quedase allí, cómodo y a gusto, mientras ella retiraba los platos, con el cigarrillo colgándole de la comisura de la boca. El puro le relajó. Con los brazos cruzados, la observó con más confianza, se fijó en sus caderas rellenitas y en sus brazos blancos y suaves. Hasta entonces había conservado la pureza, sin que ninguna sensualidad errabunda le nublase el entendimiento. Ella era una mujer rica y él estaba junto a ella, sentado en la cocina de ella; le agradecía el trato confianzudo: pero aquello y nada más, ponía a Dios por testigo.

Al terminarse el puro, volvió a la faena. A las cuatro y media había terminado. Tras recoger las herramientas, esperó a que volviese a la sala. A lo largo de toda la tarde la había oído en otra parte de la casa. Esperó un rato, carraspeando fuerte, dejando caer la llana, cantando una melodía con las palabras «he acabado, ya está todo, he acabado, he acabado». El ruido la atrajo por fin al salón. Volvía con un libro en la mano y llevaba puestas unas gafas de leer. Bandini esperaba que le pagase en el acto. Se quedó de una pieza sin embargo cuando ella le dijo que se sentara un momento. Ni siquiera había echado una ojeada al trabajo de albañilería.

—Es usted un trabajador muy escrupuloso, señor Bandini. Muy escrupuloso. Le estoy muy agradecida.

Que María se burlase, pero aquellas palabras casi le hicieron derramar lágrimas.

—Lo hago lo mejor que puedo, señora Hildegarde. Lo hago lo mejor que puedo.

Pero no manifestó ella la menor intención de pagarle. Otra vez los ojos azul claro. El palpable examen a que lo sometían le obligó a desviar la mirada hacia la chimenea. Los ojos siguieron clavados en él, observándole por encima, como en trance, como si de pronto se hubiera puesto a fantasear con otras cosas. Se acercó él a la chimenea y recorrió el manto con la mirada, como para medir su inclinación, y frunció los labios con idéntica expresión de cálculo geométrico. Cuando se dio cuenta de que seguir haciendo aquello podía bordear el absurdo, regresó al cómodo sillón y volvió a tomar asiento. La mirada de la viuda le seguía mecánicamente. Bandini quiso hablar, pero ¿qué podía decir?

Por fin rompió ella el silencio: tenía más trabajo para él. Tenía una casa en el pueblo, en Windsor Street. Tampoco le funcionaba la chimenea. ¿Podría ir allí al día siguiente para echarle un vistazo? Se levantó, recorrió la sala hasta llegar al escritorio que había junto a la ventana y apuntó la dirección. Le había dado la espalda, con el tórax vuelto por la cintura, las redondas caderas voluptuosamente destacadas, y aunque María le sacase los ojos y escupiese en las órbitas vacías, él estaba dispuesto a jurar por lo más sagrado que ningún mal pensamiento le había empañado la mirada, que ningún deseo lujurioso se le había introducido en el corazón.

Aquella noche, acostado en la oscuridad junto a Rocco Saccone, los agudos ronquidos del amigo le impidieron dormir, aunque había otro motivo para que Svevo Bandini se hubiera desvelado, y era la promesa del día siguiente. Gorjeaba de alegría en la oscuridad. *Mannaggia,* él no era idiota; era lo bastante listo para darse cuenta de que había entrado a la viuda Hildegarde por el ojo derecho. Es posible que se compadeciera de él, es posible que le hubiera hecho otro encargo sólo porque pensase que él lo necesitaba, pero, al margen de lo que fuera, era innegable la habilidad de

Bandini; le había calificado de trabajador escrupuloso y le premiaba con más faena.

¡Que el invierno impusiera su ley! ¡Que la temperatura se pusiese bajo cero! ¡Que la nieve se acumulase y sepultara el pueblo! No le importaba: al día siguiente tenía trabajo que hacer. Y después de aquél, siempre habría más. Le había caído bien a la viuda Hildegarde; respetaba su destreza. Con el dinero de ella y la destreza de él, habría trabajo suficiente para reírse del invierno.

A las siete en punto de la mañana siguiente entró en la casa de Windsor Street. No vivía nadie en la casa; la puerta principal se abrió nada más tocarla. No había muebles: sólo habitaciones vacías. Y no vio ningún desperfecto en la chimenea. No era tan elegante como la de la casa de la viuda, pero sí igual de bien hecha. La argamasa no se había resquebrajado y los ladrillos respondieron con solidez a su martilleo. ¿Qué le pasaba entonces? Encontró leña en el cobertizo de la parte trasera y encendió el fuego. El conducto aspiraba la llama con fuerza. La habitación se caldeó. No le pasaba nada.

A las ocho en punto estaba otra vez en casa de la viuda. La encontró enfundada en una bata azul, fresca y con una sonrisa en los labios. ¡Señor Bandini! No se quede ahí fuera, con el frío que hace. Pase y tome una taza de café. Las excusas se le detuvieron a Bandini en la boca. Se frotó la nieve de los zapatos húmedos y siguió a la flotante bata azul hasta la cocina. Tomó el café apoyado en el fregadero, tras derramarlo en el platito y soplarle para que se enfriase. No miraba a la mujer por debajo de los hombros. No se atrevía. María no se lo creería nunca. Nervioso y sin poder hablar, se comportaba como un hombre.

Le dijo que no había visto ningún desperfecto en la chimenea de la casa de Windsor Street. Le satisfizo su propia sinceridad, sobre todo después del exagerado despliegue de actividad del día anterior. La viuda pareció sorprenderse. Estaba segura de que algo le pasaba a la chimenea de Windsor Street. Le pidió que aguardase mientras ella se vestía. Le llevaría a Windsor Street y le diría dónde estaba el fallo. En aquellos instantes, la mujer le miraba con fijeza los pies húmedos.

—Señor Bandini, usted gasta un cuarenta y cuatro, ¿verdad?

La cara del hombre se cubrió de rubor y escupió en el café. La mujer se disculpó en el acto. Era una pésima costumbre que tenía, aquella obsesión por preguntar a todo el mundo qué número calzaba. Era una especie de juego de suposiciones al que jugaba ella sola. ¿Sería capaz de perdonarla, señor Bandini?

El episodio impresionó mucho a Bandini. Para disimular la vergüenza se sentó inmediatamente a la mesa, los zapatos mojados ocultos por el mueble, fuera de su vista. Pero la viuda seguía sonriendo e insistió. ¿Había dado en el clavo? ¿Calzaba un cuarenta y cuatro?

—Pues sí, señora Hildegarde.

Mientras esperaba a que la mujer se vistiera, Svevo Bandini pensó que por fin comenzaba a tener suerte. A partir de entonces, que se andaran con cuidado Helmer el banquero y sus restantes acreedores. Bandini también tenía amigos poderosos.

Pues ¿qué tenía él que ocultar de aquel día? Nada: estaba orgulloso de aquel día. Junto a la viuda, en el coche de ésta, cruzó la población por el centro, por Pearl Street, la viuda al volante y enfundada en un abrigo de piel de foca. Si María y los críos le hubieran visto charlando amistosamente con ella, se habrían enorgullecido de él. Habrían alzado con soberbia la barbilla y dicho: ¡por allí va papá! Pero María le había arañado la cara.

¿Qué ocurrió en la casa vacía de Windsor Street? ¿Llevó a la viuda a una habitación vacía y la violó? ¿La besó? Ve entonces a esa casa, María. Habla con las habitaciones frías. Quita las telarañas de los rincones y pregúntales; pregunta a los suelos desnudos, pregunta a los cristales empañados de las ventanas; pregúntales si Svevo Bandini hizo algo malo.

La viuda se detuvo ante la chimenea.

—Ya ve —dijo el hombre—. El fuego que encendí tira aún. No le pasa nada. Funciona a la perfección.

Ella no las tenía todas consigo.

Todo aquel hollín, dijo. Quedaba feo en una chimenea. Quería que pareciese limpia y nueva; tenía un inquilino en perspectiva y todo tenía que estar a la perfección.

Pero él era un hombre de honor que no quería estafar a aquella mujer.

—Todas las chimeneas se ponen negras, señora Hildegarde. Es por el humo. Todas se ponen así. Es inevitable.

No, a ella no le convencía.

Él le habló del ácido muriático. Una solución de ácido clorhídrico y agua. Se pasaba con un cepillo: quitaría el hollín. Basta con un par de horas de trabajo...

¿Dos horas? No era suficiente. No, señor Bandini. Ella quería que todos los ladrillos refractarios se quitaran y se pusiesen otros nuevos. Bandini cabeceó ante el capricho.

—Se tardará día y medio, señora Hildegarde. Le costará veinticinco dólares, material incluido.

Se arrebujó con el abrigo, estremeciéndose a causa del frío de la habitación.

—No se preocupe por los costes, señor Bandini —dijo ella—. Tiene que hacerse. Quiero lo mejor para mis inquilinos.

¿Qué podía responder él? ¿Esperaba María que rechazara el trabajo, que se negase a hacerlo? Se comportó como un hombre sensato que se alegra de tener una oportunidad de ganar más dinero. La viuda le llevó en coche hasta el almacén.

—Hace mucho frío en esa casa —dijo ella—. Debería tener usted algo para calentarse.

Respondió Bandini con un revoltillo de frases confusas con el que quiso puntualizar que si hay faena hay calor, que cuando un hombre tiene libertad de movimientos, basta con ello, porque la sangre se le calienta entonces. Pero lo que también le calentaba y desconcertaba mientras iba con ella en el coche era aquella preocupación que sentía por él, aquella perfumada presencia suya que le acosaba mientras él no podía por menos de aspirar de manera incansable la fragancia envolvente de su piel y sus prendas. Las enguantadas manos femeninas giraron el volante para detenerse junto al bordillo, delante del Almacén Gage.

El viejo Gage estaba junto a la ventana cuando salió Bandini del vehículo y se despidió de la viuda con una reverencia. Ella le asaeteó con una sonrisa perenne que le hizo temblar las rodillas, aunque se pavoneaba como un gallo de pelea cuando entró en el despacho, dio un portazo con chulería, sacó un puro, encendió una cerilla rascándola en el mostrador, aspiró a conciencia y exhaló una bocanada de humo en la cara del viejo Gage, que parpadeó y desvió los ojos una vez que la implacable mirada de Bandini le hubo perforado el cráneo. Bandini gruñía de satisfacción. ¿Debía algún dinero al Almacén Gage? Pues que el viejo Gage estuviera al tanto de los hechos. Que recordara que con sus propios ojos había visto a Bandini entre personas poderosas. Encargó cien ladrillos refractarios, un saco de cemento y un metro de arena, y que todo se entregara en la dirección de Windsor Street.

—Y aprisa —dijo por encima del hombro—. Lo necesito dentro de media hora.

Volvió pavoneándose a la casa de Windsor Street, la barbilla apuntando al cielo, el humo fuerte y azul del Toscanelli revoloteándole por encima del hombro. María tenía que haber visto la cara de perro apaleado que ponía el viejo Gage, la presteza servicial con que tomó nota del encargo de Bandini.

El material se estaba descargando cuando llegó a la casa vacía, el camión del Almacén Gage había reculado hasta el bordillo. Tras quitarse el abrigo, puso manos a la obra. Se juró que aquél iba a ser uno de los trabajos más elegantes de albañilería menor de todo el estado de Colorado. Cincuenta años después, cien años después, doscientos, la campana de aquella chimenea seguiría en su sitio. Porque cuando Svevo Bandini hacía algo, lo hacía bien.

Canturreó mientras trabajaba, una canción primaveral: *Volver a Sorrento.* En la casa vacía suspiraba el eco, las habitaciones heladas se llenaban con el timbre de su voz, el golpeteo del martillo, el tintineo de la paleta. Día de fiesta: el tiempo pasó volando. La estancia se caldeó con el calor de su energía, los cristales de las ventanas lloraron de alegría al fundirse la escarcha y alcanzó a verse la calle.

Un camión se acercaba a la casa. Bandini hizo un alto para observar al conductor de chaquetón verde que cogía un objeto brillante y lo llevaba hacia la casa. Un camión rojo de la Ferretería Watson. Bandini dejó la llana en el suelo. No había hecho ningún pedido a la Ferretería Watson. No: jamás encargaría nada a los empleados de Watson. En cierta ocasión habían conseguido que le embargasen la paga por culpa de una factura que no podía abonar. Detestaba la Ferretería Watson, uno de sus peores enemigos.

—¿Se llama usted Bandini?

—¿Le importa?

—A mí no. Firme aquí.

Una estufa de petróleo de parte de la señora Hildegarde para Svevo Bandini. Firmó el papel y se marchó el conductor. Bandini se quedó junto a la estufa como si se tratara de la viuda en persona. Silbó de admiración. Aquello era demasiado para cualquier hombre; demasiado.

—Toda una mujer —dijo, cabeceando—. Una gran mujer.

De pronto se le humedecieron los ojos. La llana se le cayó de la mano al arrodillarse para inspeccionar la estufa cromada y brillante. Es usted la mujer más exquisita del pueblo, señora Hildegarde, y cuando acabe con la chimenea, estará orgullosísima de ella.

Reanudó el trabajo una vez más, sonriendo a la estufa de tarde en tarde por encima del hombro y hablándole como si le hiciera compañía.

—Ah, hola, señora Hildegarde. ¿Aún está aquí? Mirando como trabajo, ¿eh? Se ha dado cuenta de lo que vale Svevo Bandini, ¿verdad? Porque tiene ante usted al mejor albañil de todo Colorado, señora.

El trabajo fue más rápido de lo que pensaba. No lo abandonó hasta que fue ya demasiado oscuro para ver nada. A eso de las doce del día siguiente estaría terminado. Recogió las herramientas, lavó la llana y se dispuso a salir. Sólo en aquel momento, bañado por la luz sucia de las farolas de la calle, se dio cuenta de que no había encendido la estufa. Las manos le dolían de frío. Puso la estufa en el hogar de la chimenea, la encendió y ajustó la llama al mínimo. Allí estaría bien: ardería toda la noche y evitaría que la argamasa blanda se congelase.

No fue a casa con su mujer y sus hijos. Se quedó con Rocco aquella noche también. Con Rocco, María; no con una mujer, sino con Rocco Saccone, un hombre. Y durmió como un bendito; sin soñar que caía en pozos negros y sin fondo o que le perseguían serpientes de ojos glaucos.

Ya podía preguntarle María por qué no había ido a casa, porque era asunto suyo. *Dio rospo!* ¿Es que tenía que dar explicaciones por todo?

A las cuatro de la tarde siguiente estaba ante la viuda con la factura de sus servicios. La había escrito en papel timbrado de la Pensión Montañas Rocosas. Su ortografía no era muy buena y lo sabía. Así que se había limitado a poner: Por el Trabajo, 40,00 dólares. Y había firmado. La mitad de esta cifra era por los materiales. Sus beneficios netos ascendían a veinte dólares. La viuda ni siquiera miró la factura. Se quitó las gafas de leer, le hizo pasar y le dijo que se sintiera como en su casa. Él le dio las gracias por la estufa. Estaba contento de encontrarse en su casa. Ya no tenía tan congeladas como antes las articulaciones. Sus pies se habían acostumbrado al suelo resplandeciente. Aún no se había sentado en el mullido diván, pero ya se sentía en él. La viuda desestimó la importancia de la estufa con una sonrisa.

—Esa casa era una nevera, Svevo.

Svevo. Le había llamado por el nombre de pila. Se le escapó una carcajada. No había tenido intención de reírse, pero la excitación de que la boca femenina pronunciara su nombre le había puesto muy nervioso. El fuego de la chimenea despedía un calor agradable. Había acercado los zapatos húmedos. Un olor agrio brotaba de ellos. La viuda estaba a sus espaldas, haciendo no sé qué; no se atrevió a mirar. Volvía a sentir agarrotada la garganta. Aquel dichoso témpano de la boca: era su lengua; y no pensaba moverse. Aquel latido en las sienes que le producía la sensación de que le ardía el pelo: era su cerebro martilleante; y no pensaba transmitirle ninguna palabra. La guapa viuda de los doscientos mil dólares en el banco le había llamado por su nombre de pila. Los troncos de pino del hogar chisporroteaban con alborozo silbante. Se quedó mirando las llamas con una sonrisa inmóvil en los labios mientras trababa y flexionaba las manos, y los huesos le crujían con alegría. No se movió, agarrotado por la preocupación y el placer, torturado por la pérdida de la voz. Al final se las arregló para decir algo.

—Un buen fuego —dijo—. Muy bueno.

No hubo respuesta. Miró por encima del hombro. Ella no estaba allí, pero lo oyó avanzar por el pasillo, se volvió y clavó los ojos brillantes de excitación en las llamas. Llegó la mujer con una bandeja con una botella y un par de vasos. Dejó aquélla en la repisa de la chimenea y escanció el licor. Bandini vio el relampagueo de los diamantes en los dedos femeninos. Le observó las caderas firmes, el perfil, la curva del feminísimo trasero, la gracia gordezuela del brazo al servir el vino de la botella gorgoteante.

—Tenga, Svevo. No le molestará que le llame así, ¿verdad?

Cogió el hombre el vaso de licor parduzco y se lo quedó

mirando, preguntándose qué sería aquella bebida que tenía el color de sus propios ojos, aquella bebida que las mujeres acaudaladas se echaban al coleto. Recordó que ella le había dicho algo acerca de su nombre. La sangre le corría a toda velocidad, bombeándole los tórridos y enrojecidos límites de la cara.

—No, no me importa, señora Hildegarde. Llámeme como le plazca.

Le hizo reír aquello y se sintió contento de haber dicho por fin algo gracioso al estilo norteamericano, aunque de un modo totalmente fortuito. El vino era málaga, el vino español dulce, fuerte y confortante. Lo saboreó con cuidado y acto seguido se lo echó a la garganta con imperturbable energía de campesino. Se relamió y se pasó por los labios los poderosos músculos del antebrazo.

—Por la Virgen que está estupendo.

La mujer le sirvió otro vaso. Él puso las objeciones de rigor, con los ojos saltándosele de placer mientras el vino caía entre risas en el vaso que alargaba.

—Tengo una sorpresa para usted, Svevo.

Fue al escritorio y volvió con un paquete envuelto en papel navideño. Su sonrisa se trocó en mueca de dolor cuando rompió los cordones rojos con los dedos enjoyados y mientras el hombre miraba con excitación sofocante. Abrió el paquete y el papel de dentro se arrugó como si por él correteasen animales pequeños. Era un par de zapatos. Se los alargó al hombre, un zapato en cada mano, y contempló el jugueteo de las llamas en los enfurecidos ojos del hombre. Svevo no pudo soportarlo. La boca se le curvó en una mueca de escepticismo atormentado por el hecho de que ella supiese que le hacían falta unos zapatos. Se quejó entre gruñidos, se removió en el diván, se pasó por el pelo los dedos nudosos, jadeó por entre una sonrisa forzada y los ojos le desaparecieron tras una nube de lágrimas. De nuevo alzó el antebrazo, se lo pasó por la cara y se enjugó la humedad de los ojos. Tanteó en el bolsillo, sacó un crujiente pañuelo rojo de lunares y se sonó la nariz con una rápida sucesión de bufidos.

—No sea tonto, Svevo —le dijo ella con una sonrisa—. Pensé que le gustaría.

—No —dijo él—. No, señora Hildegarde. Mis zapatos me los compro yo.

Se llevó la mano al corazón.

—Usted me da trabajo —añadió—, pero mis cosas me las compro yo.

Sacudió ella la mano, como si se tratase de un sentimiento absurdo. Contemporizaron con el vaso de vino. Apuró el suyo Bandini, se levantó, lo llenó otra vez y volvió a vaciarlo. La mujer se le acercó y le puso la mano en el brazo. Vio él en su cara la sonrisa de comprensión y de nuevo le brotó de los ojos un torrente de lágrimas que le inundó las mejillas. Le irritaba la autocompasión. ¡Que tuviera que verse en situación tan embarazosa! Volvió a sentarse, las manos aferradas a la barbilla, los ojos cerrados. ¡Que aquello le ocurriera a Svevo Bandini!

No obstante, y sin dejar de llorar, se inclinó para desatarse los zapatos viejos y esponjosos. Se descalzó el derecho con estampido de ventosa, dejando a la vista un calcetín gris con agujeros en los dedos, el pulgar rojizo y desnudo. Lo agitó sin saber por qué. La viuda se echó a reír. La diversión femenina fue su curación. Le desapareció la angustia. Se entregó con entusiasmo a la tarea de quitarse el otro zapato. La viuda tomó un sorbo de vino y se quedó mirándolo.

Los zapatos eran de piel de canguro, le dijo ella, eran muy caros. Bandini se los puso y sintió el alivio de su fresca dulzura. ¡Dios del cielo, vaya zapatos! Se los ató y se puso en pie. Ni que hubiera andado descalzo por una alfombra mullida; así de blandos eran aquellos objetos cariñosos que tenía en los pies. Anduvo por la habitación para probarlos.

—Perfectos —dijo—. ¡Y muy buenos, señora Hildegarde!

Y ahora ¿qué? La mujer le dio la espalda y tomó asiento. Bandini fue hasta la chimenea.

—Se los pagaré, señora Hildegarde. Reste de la factura lo que le hayan costado.

Fue una torpeza. En la cara de la mujer se había pintado una expectación y una desilusión que él no alcanzó a desentrañar.

—Los mejores zapatos que he tenido en toda mi vida —dijo, sentándose y estirando las piernas para contemplarlos. La mujer se trasladó al otro extremo del diván. Con voz cansada pidió al hombre que le sirviera otro vaso de vino. Obedeció el hombre y ella lo cogió sin darle las gracias, sin decir nada mientras sorbía el vino, suspirando con crispación apenas perceptible. Bandini intuyó su incomodidad. Tal vez se había quedado en la casa demasiado rato. Se puso en pie. Percibió por encima el sofocante silencio de la mujer. Tenía los dientes apretados, la boca se le había convertido en una raya delgada. Tal vez se encontraba mal y deseaba estar sola. Cogió Bandini los zapatos viejos y se los puso bajo el brazo.

—Me voy, señora Hildegarde.

La mujer miraba las llamas con fijeza.

—Gracias, señora Hildegarde. Si alguna vez tiene otro trabajo que encargarme...

—Naturalmente, Svevo. —La mujer alzó los ojos y sonrió—. Es usted un trabajador magnífico, Svevo. Estoy muy satisfecha.

—Muchas gracias, señora Hildegarde.

¿Y la paga por el trabajo realizado? Cruzó la habitación y titubeó ante la puerta. Ella no se había vuelto para verle marchar. Aferró el pomo con la mano y lo giró.

—Adiós, señora Hildegarde.

La mujer se incorporó de un salto. Un momento. Había una cosa que ella quería preguntarle. El montón de piedras del patio trasero, se habían quedado allí al construir la casa. ¿Querría echarles un vistazo antes de irse? Podría decirle qué hacer con ellas. Bandini fue tras las caderas rellenas por el pasillo y hasta la galería trasera, desde cuya ventana miró las piedras, las dos toneladas de piedras cubiertas de nieve.

Meditó un instante e hizo sugerencias: podía hacer muchas cosas con aquellas piedras: construir una acera, levantar un muro de poca altura en torno del jardín, hacer un reloj de sol y bancos de jardín, una fuente, un incinerador. La cara femenina estaba pálida y asustada cuando él se apartó de la ventana y le rozó la barbilla con el brazo. La mujer se había inclinado sobre el hombro de él, aunque sin tocarle. Bandini se disculpó. Ella sonrió.

—Hablaremos de ello otro día —dijo—. En primavera.

Y no se movió, obstaculizándole el acceso al pasillo.

—Quiero que todas las faenas que necesite me las haga usted, Svevo.

Recorrió al hombre con los ojos hasta detener la mirada en los zapatos nuevos. Volvió a sonreír.

—¿Cómo le quedan?

—Son los mejores que he tenido.

Aún había otra cosa. ¿Le importaba esperar un momento, mientras ella pensaba? Había otra cosa... otra cosa... otra cosa, chascando los dedos y mordiéndose el labio en actitud reflexiva. Volvieron por el estrecho pasillo. La mujer se detuvo ante la primera puerta. Tanteó el pomo con la mano. Había poca luz en el pasillo. La mujer abrió la puerta.

—Mi cuarto —dijo.

Bandini advirtió la vena que latía en el cuello de la mujer. La cara de ésta se había vuelto grisácea y los ojos le brillaron a causa de la inmediata vergüenza. Con la mano adornada de alhajas se ocultó la agitación del cuello. Bandini vio la habitación por encima del hombro femenino, la cama blanca, el tocador, la cómoda. Entró ella en el dormitorio, encendió la luz y describió una circunferencia en el centro de la alfombra.

—Es agradable, ¿no le parece?

Bandini la miraba a ella, no el dormitorio. La miraba y sus ojos iban de ella a la cama y de la cama a ella. La cabeza se le caldeó, deseó disfrutar de la quintaesencia de la escena: la mujer, el dormitorio. La viuda se dirigió al lecho y los labios se le agitaron igual que un nido de serpientes cuando se dejó caer en la cama y se quedó en ella, haciendo con la mano un ademán vacuo.

—Se está muy bien aquí.

Un gesto fortuito, gratuito como el vino. La fragancia del lugar aceleró el ritmo cardíaco del hombre. Los ojos de la mujer ardían y los labios se le entreabrieron con una expresión angustiada que le hizo enseñar los dientes. Bandini no estaba seguro de sí. Se le torció la vista mientras la miraba. No: era imposible que fuera aquélla su intención. Aquella mujer tenía demasiado dinero. Su riqueza obstaculizaba la fantasía. Eran cosas que no pasaban.

La mujer estaba tendida de cara a él, con la cabeza apoyada en el brazo estirado. La vaga sonrisa tenía que resultar dolorosa, porque parecía esbozarse con inquietud y miedo. La garganta del hombre reaccionó con brusca afluencia de sangre; tragó saliva y desvió la mirada, hacia la puerta que daba al pasillo. Mejor olvidar lo que había pensado. Aquella mujer no se interesaba por un hombre pobre.

—Creo que será mejor que me vaya, señora Hildegarde.

—Tonto —dijo ella, sonriendo.

Sonrió Bandini con confusión, fruto del estado caótico de su circulación sanguínea y su cerebro. El aire nocturno lo despejaría todo. Se dio la vuelta y se dirigió por el pasillo hacia la puerta de la calle.

—¡Idiota! —oyó decir a la mujer—. So patán.

Mannaggia! Y tampoco esta vez le había pagado. Los labios se le curvaron en sonrisa despectiva. Que llamara idiota a Svevo Bandini cuantas veces quisiera. La mujer se levantó de la cama para correr a su encuentro con los brazos abiertos para abrazarle. Un segundo después forcejeaba por apartarse. Se deshacía en muecas de alegría frenética cuando retrocedió el hombre con las manos asidas a los jirones de la blusa de la mujer.

Le había desgarrado la blusa igual que María le había desgarrado a él la cara. Al recordarlo después, la noche pasada en el dormitorio de la viuda adquiriría para él un valor inmenso. Ningún otro ser vivo alentaba en la mansión, sólo él y la mujer que se le oponía, que chillaba de dolor y éxtasis, que lloraba suplicándole piedad, el llanto una ficción, una demanda de misericordia. El campesino pobre lanzó una carcajada de triunfo. ¡La viuda! Ella y sus ternezas, muelles y adineradas, ella, víctima y esclava de su propia provocación, sollozando con el jubiloso abandono de la derrota, cada jadeo una victoria del hombre. Hubiera podido matarla si hubiera querido, reducir sus gritos a un susurro, pero se levantó y fue a la sala, donde el hogar llameaba con pereza en la veloz oscuridad del invierno, dejándola en la cama con sus lágrimas e hipidos. También ella se acercó a la chimenea y cayó de rodillas ante el hombre, con la cara húmeda de lágrimas, y Bandini le sonrió y volvió a dejarse llevar por la deliciosa tortura que la viuda proponía. Y cuando la dejó sollozando de satisfacción, bajó él por la carretera embargado de una alegría intensa, resultante de creerse el amo del mundo.

Ya estaba. ¿Contárselo a María? Era un asunto que sólo concernía a su propia alma. A decir verdad, había hecho un favor a María, ella y sus rosarios y oraciones, sus mandamientos e indulgencias. Si ella le hubiera preguntado, le habría mentido. Pero no había preguntado nada. Al igual que un felino, había dado un salto ante las conclusiones escritas en su cara señalada. No adulterarás. Bah. La culpa había sido de la viuda. Él había sido una víctima de sus manejos.

Ella sí que había adulterado. Una víctima voluntaria.

Durante la semana de Navidad estuvo todos los días en su casa. Unas veces silbaba al llamar con la aldaba de cabeza de zorro. Otras guardaba silencio. Siempre se abría la puerta al cabo de unos instantes y sus ojos tropezaban con una sonrisa de bienvenida. No se podía librar de la turbación que le atenazaba. Aquella casa era siempre un lugar ajeno a él, emocionante e inalcanzable. Ella le recibía con vestidos azules, con vestidos rojos, amarillos y verdes. Le compraba puros, marcha Chancellor, envueltos en papel de regalo. Y los dejaba en la repisa de la chimenea, donde él pudiese verlos; él sabía que eran para él, pero siempre esperaba a que ella le invitase a coger uno.

Citas extrañas. Sin besos ni abrazos. Cuando él entraba, ella le estrechaba la mano con cordialidad. Estaba muy contenta de verle... ¿No le apetecía sentarse un rato? Él le daba las gracias y recorría la sala, camino de la chimenea. Unas palabras a propósito del tiempo; un interrogatorio conciso y discreto a propósito de la salud del hombre. Silencio al enfrascarse ella otra vez en el libro que leía.

Cinco minutos, diez.

Ningún ruido, salvo el frufrú de las páginas. La mujer levantaba los ojos y sonreía. Él se quedaba siempre con los codos en las rodillas, el grueso pescuezo embotado, con los ojos fijos en las llamas, pensando en sus cosas: en su casa, sus hijos, la mujer que tenía al lado, su riqueza, su pasado. La mujer volvía a levantar la vista. ¿Por qué no encendía un puro? Eran suyos: podía servirse cuando quisiera. Gracias, señora Hildegarde. Y lo encendía, aspiraba de la hoja perfumada, contemplaba el humo blanco que le brotaba de la boca, pensando en sus cosas.

Era de whisky la garrafa de la mesita, y junto a ella había vasos y tónica. ¿Le apetecía tomar un trago? Él esperaba entonces, los minutos pasaban, las páginas pasaban, hasta que la mujer volvía a mirarle con una sonrisa que era una muestra de cortesía para darle constancia de que se acordaba de que el hombre estaba allí.

—¿No quiere tomar nada, Svevo?

Excusas, el removerse en el asiento del hombre, la decapitación de la ceniza del puro, el estirón del cuello. No, gracias, señora Hildegarde: él no era lo que se dice un bebedor. De vez en cuando, sí. Pero hoy no. Ella le escuchaba con sonrisa servicial, observándole por encima de las gafas de leer, sin escucharle en realidad.

—Si le apetece, no lo dude.

Pero al cabo se sirvió un vaso pequeño hasta arriba, que vació con gesto profesional. El estómago lo recibió como si fuera éter, secándolo y creándole la necesidad de seguir ingiriéndolo. El hielo se había roto. Se sirvió otro y otro; whisky caro de una botella de Escocia, cuarenta centavos la ración en los Billares Imperial. Pero siempre había un pequeño preámbulo de inquietud, un silbido en las tinieblas, antes de servirse; algún carraspeo, o bien se frotaba él las manos y se levantaba para que ella supiera que iba a tomar otro trago, o bien tarareaba una melodía sin forma ni título. Después, todo era sencillo, el licor le liberaba y se lo zampaba sin ningún empacho. El whisky era para él, como los puros. Cuando se iba, la garrafa estaba vacía, y cuando volvía, estaba otra vez llena.

Siempre era lo mismo, la espera de las sombras de la noche, la viuda leyendo y él fumando y bebiendo. No podía durar. Nochebuena y se acabaría todo. Había algo en la ocasión y la temporada —la Navidad inminente, el año que moría— que le indicaba que no iba a durar más que unos días, y para él que ella también estaba al tanto.

Se bajaba la colina y en la otra punta del pueblo estaba su familia, su mujer y sus hijos. La Navidad era para estar con la mujer y los hijos. Cuando se fuera, sería para no volver. Y lo haría con los bolsillos llenos de dinero. Mientras tanto, le gustaba estar allí. Le gustaba el buen whisky, los puros aromáticos. Le gustaba aquella sala cómoda y la mujer rica que la habitaba. No estaba ella muy lejos, leyendo el libro, y al cabo de muy poco se dirigiría al dormitorio y él iría tras ella. Jadearía y sollozaría y él se iría al anochecer, el triunfo espoleándole las piernas. Lo que más le gustaba era el momento de marcharse. Aquel brote de entusiasmo, aquel oscuro patrioterismo que le cuchicheaba que no había en la tierra quien pudiese compararse a los italianos, aquella refocilación en sus orígenes campesinos. La viuda tenía dinero, eso era indudable. Pero ella se quedaba mordiendo el polvo y por Cristo crucificado que Bandini era mejor que ella.

Habría ido a casa todas aquellas noches de haber tenido la sensación de que se había acabado todo. Pero no había tiempo para pensar en la familia. Unos días más y las preocupaciones comenzarían otra vez. Pues a pasar aquellos días en un mundo diferente del suyo. No lo sabía nadie, salvo su amigo Rocco Saccone.

Rocco estaba contento por él, le prestaba camisas y corbatas, dejaba a su disposición todo su amplio surtido de trajes. Acostado en la oscuridad antes de conciliar el sueño, esperaba a que Bandini le contase las anécdotas del día. Cuando hablaban de otros asuntos lo hacían en inglés, pero de la viuda siempre en italiano, entre susurros íntimos.

—Quiere casarse conmigo —le decía Bandini—. Se puso de rodillas y me suplicó que me divorciara de María.

—¡No me digas! —respondía Rocco.

—Y no sólo eso, me ha prometido además cien mil dólares.

—¿Y qué le dijiste?

—Me lo estoy pensando —mentía.

Rocco abrió la boca, se agitó en la oscuridad.

—¡Pensando! *Sangue della madonna!* ¿Has perdido el juicio? ¡Acéptalos! ¡Quédate con cincuenta mil! ¡Con diez mil! Acepta lo que sea... ¡no importa, hazlo gratis!

No, le decía Bandini, aquella propuesta era inviable. Cien billetes le solucionarían casi todos los problemas, pero Rocco parecía olvidar que había allí una cuestión de honor y Bandini no tenía ningunas ganas de deshonrar a su mujer y a sus hijos por el vil metal. Rocco gruñía, se tiraba del pelo, murmuraba maldiciones.

—¡Burro! —exclamaba—. Ah, *Dio*, ¡qué burro eres!

Bandini estaba asombrado. ¿Quería decirle Rocco que él vendería en serio su honor por dinero, por cien mil dólares? Rocco, exasperado, dio un manotazo al interruptor de la luz que había sobre la cama. Y se incorporó, con la faz lívida, los ojos saltones, con las manazas rojas aferradas al cuello de su ropa interior invernal.

—¿Quieres saber si yo vendería mi honor por cien mil dólares? —le preguntó—. ¡Mira, mira! —Con lo que imprimió un tirón al brazo y la ropa interior se le abrió y desgarró, y los botones saltaron y se esparcieron por el suelo. Empezó a darse puñetazos en el pecho desnudo, a la altura del corazón—. No sólo vendería mi honor —exclamó a voz en cuello—. ¡Me vendería entero, en cuerpo y alma, aunque sólo fuese por mil quinientos dólares!

Fue aquella la noche en que Rocco le pidió a Bandini que le presentase a la viuda Hildegarde. Bandini cabeceó dubitativo.

—No la comprenderías, Rocco. Es una mujer muy culta, con título universitario.

—¡Venga, venga! —dijo Rocco con indignación—. ¿Quién coño te crees que eres tú?

Bandini le contó que la viuda Hildegarde leía un libro tras otro, mientras que Rocco ni siquiera sabía leer y escribir en inglés. Más aún, hablaba el inglés muy mal. Lo único que haría su intromisión sería perjudicar a los demás italianos.

Rocco esbozó una sonrisa burlona.

—¿Y qué? —dijo—. Hay otras cosas, aparte de leer y escribir. —Cruzó la habitación hasta llegar ante el ropero, que abrió de un tirón—. ¡Leer y escribir! —dijo en tono despectivo—. ¿Qué has sacado tú con ello? ¿Tienes tantos trajes como yo, acaso? ¿Y tantas corbatas? Tengo más ropa que el rector de la Universidad de Colorado; ya me dirás para qué le sirve a él saber leer y escribir.

Le divertía que Rocco razonara de aquella manera, pero en el fondo pensaba que tenía razón. Albañiles y rectores universitarios, todos eran iguales. Todo radicaba en el dónde y el porqué.

—Le hablaré a la viuda de ti —le prometió—. Pero a

ella no le interesa la ropa de los hombres. *Dio cane*, es que es precisamente lo contrario.

Rocco asintió con sabiduría.

—Entonces no tengo por qué preocuparme.

Sus últimas horas con la viuda fueron igual que las primeras. Hola y adiós, y lo mismo de siempre. Eran extraños entre sí, lo único que salvaba el abismo de sus diferencias era la pasión y no hubo pasión aquella tarde.

—Mi amigo Rocco Saccone —le dijo Bandini— también es un buen albañil.

Bajó ella el libro y le miró por encima del borde de las gafas de lectura de montura de oro.

—Estupendo —murmuró.

El hombre jugueteó con el vaso de whisky.

—Es un hombre bueno, en todos los sentidos.

—Estupendo —repitió ella. Siguió leyendo durante cinco minutos. Tal vez no debería haberle dicho él aquello. La palpable insinuación que había habido en sus palabras le asustó.

Caviló a propósito del embrollo en que se había metido, sudando a causa del esfuerzo, y con una sonrisa absurda inmovilizada entre las angustiosas convulsiones del rostro. Más silencio. Bandini miró por la ventana. La noche comenzaba a caer, extendiendo alfombras sombrías sobre la nieve. Se acercaba la hora de marcharse.

Era triste y decepcionante. Si entre él y aquella mujer hubiera algo más que relaciones animalescas... Si por lo menos pudiese correr el velo que le ponía delante el hecho de que ella fuese rica... Entonces hablaría con ella como con cualquier mujer. Era ella quien le volvía un imbécil. *Jesu Christi!* Él no era un idiota. Sabía hablar. Tenía una cabeza que pensaba y que tenía que resolver problemas mayores que los de ella. Los libros ya eran otra cuestión. En su vida apaleada y llena de preocupaciones no había habido tiempo para los libros. Pero, a pesar de sus muchos libros, sabía leer en el idioma de la vida mejor que ella. Y podía hablar de un sinfín de cosas.

Mientras la miraba por última vez, según sus cálculos, se dio cuenta de que no tenía miedo de aquella mujer. De que nunca le había tenido miedo, de que era ella quien le temía a él. La verdad le irritó, el espíritu se le rebeló al pensar en la prostitución a que había sometido su carne. Ella no levantaba la vista del libro. Ella no veía la soberbia obsesiva que se le dibujaba en un lado del rostro. De súbito se sintió contento de que todo fuera a acabarse. Se levantó sin prisas y se dirigió a la ventana.

—Ya oscurece —dijo—. Muy pronto me iré para no volver más.

El libro descendió al instante.

—¿Decía usted algo, Svevo?

—Que muy pronto me iré para no volver más.

—Bueno, ha sido delicioso, ¿no le parece?

—Usted no entiende nada —dijo él—. Nada.

—¿Qué quiere decir?

Él no lo sabía. Creía saberlo, pero se le escapaba. Abrió la boca para decir algo, extendió las manos abiertas.

—Una mujer como usted...

No supo decir más. Si seguía hablando, le saldría de manera torpe y brusca, y estropearía lo que en realidad quería decir. Se encogió de hombros con resignación.

Déjalo correr, Bandini; olvídalo.

La mujer se alegró de ver que el hombre volvía a sentarse, le sonrió satisfecha y volvió al libro. Él la miró con resentimiento. Aquella mujer no pertenecía a la especie humana. Era muy fría, un parásito de su vitalidad. Le ofendían sus buenos modales: todo era una patraña. La despreció a conciencia y con placer, maldijo su buena crianza. Ahora que ya se había acabado todo y él iba a marcharse, podía ella hacer un esfuerzo y dejar el libro para hablar con él. Es posible que no tuviesen nada importante que decirse, pero él quería intentarlo, mientras que ella no.

—Que no me olvide de pagarle —dijo la mujer.

Cien dólares. Los contó el hombre y se los guardó en el bolsillo trasero.

—¿Es suficiente? —preguntó ella.

El hombre sonrió.

—Si no me hiciese falta este dinero, ni con un millón de dólares me conformaría.

—O sea que quiere más. ¿Doscientos?

Mejor no discutir. Mejor irse y que se acabara para siempre, sin rencores. Metió las manos en las mangas del chaquetón y masticó la punta del puro.

—Vendrá a visitarme, ¿verdad?

—Claro que sí, señora Hildegarde.

Pero estaba convencido de que no volvería nunca más.

—Adiós, señor Bandini.

—Adiós, señora Hildegarde.

—Felices Pascuas.

—Igualmente, señora Hildegarde.

Adiós y hola otra vez en menos de una hora.

La viuda abrió la puerta al oír su llamada y vio el pañuelo moteado cubriéndole todo salvo los ojos inyectados en sangre. Contuvo el aliento con horror.

—¡Dios santo!

Se quitó el hombre a patadas la nieve de los pies y se frotó la pechera del chaquetón con la mano. La mujer no veía el placer amargo que había en la sonrisa que ocultaba el pañuelo ni oía las amordazadas maldiciones en italiano. Alguien tenía la culpa de aquello y dicho alguien no era Svevo Bandini. Sus ojos la acusaron nada más entrar, la nieve de sus zapatos se derretía y formaba una mancha en la alfombra.

La mujer retrocedió hasta la librería, observándole, sin poder hablar. El calor de la chimenea mordisqueó la cara del hombre. Con un gruñido de furia corrió hacia el cuarto de baño. Ella fue tras él y se quedó junto a la puerta abierta mientras el hombre se echaba agua fría con las manos. Al oír sus jadeos, un sentimiento de lástima comenzó a dibujársele en el rostro. Bandini se miró al espejo, vio su imagen contorsionada y llena de arañazos, sintió asco de sí mismo y cabeceó de derecha a izquierda, con furiosos movimientos de negación.

—¡Ay, pobre Svevo!

¿Qué era aquello? ¿Qué había pasado?

—¿Qué cree usted?

—¿Su esposa?

Se puso ungüento en las heridas.

—¡Pero eso es imposible!

—Bah.

La mujer se envaró, alzó la barbilla con soberbia.

—Le digo que es imposible. ¿Quién puede habérselo dicho?

—¿Y cómo quiere que yo lo sepa?

Encontró un botiquín en el armario y se puso a hacer tiras pequeñas con la gasa y el esparadrapo. El esparadrapo era resistente. Se deshizo en un torbellino de maldiciones al comprobar la obstinación de la cinta y la rompió contra la rodilla con tal violencia que retrocedió tambaleándose hacia la bañera. En son de triunfo, se puso ante los ojos la tira de esparadrapo y le dirigió una sonrisa de desprecio.

—¡Conmigo no valen las chulerías! —dijo al esparadrapo.

La mujer hizo ademán de ayudarle.

—No —gruñó él—. Ningún esparadrapo puede derrotar a Svevo Bandini.

La mujer se alejó. Al volver, Bandini se estaba poniendo la gasa y el esparadrapo. Cuatro tiras largas en ambas mejillas que le iban de la barbilla a los ojos. Al verla, se sobresaltó. Se había vestido para salir: abrigo de piel, bufanda azul, sombrero y chanclos. La serena elegancia de su encanto, la adinerada sencillez del pequeño sombrero ladeado con garbo, la vistosa bufanda de lana que brotaba del exuberante cuello del abrigo, los chanclos grises de bonitas hebillas y los largos guantes grises de conducir, daban una imagen cabal de lo que era: una mujer rica que afirmaba su diferencia de un modo sutil. Bandini estaba impresionado.

—La puerta del final del pasillo corresponde a un cuarto de huéspedes —dijo ella—. Puede quedarse. Volveré a eso de medianoche.

—¿Va a algún sitio?

—Es Nochebuena. —Lo dijo como si, de haber sido otra fecha, se hubiera quedado en casa.

Se fue, el ruido del coche que bajaba en punto muerto por la carretera de montaña. Un impulso extraño se apoderó de él. Estaba solo en la casa, totalmente solo. Fue al dormitorio de la mujer y se puso a revolver sus pertenencias. Abrió cajones, inspeccionó cartas antiguas y papeles. Levantó el tapón de todos los frascos de perfume que había en el tocador, los olió y los puso exactamente donde estaban antes. Era un deseo que hacía tiempo experimentaba, y que ahora que estaba solo era incapaz de dominar, un deseo de tocar, de oler, de acariciar e inspeccionar a placer todo cuanto pertenecía a la viuda. Acarició su ropa interior, apretó con ambas manos sus frías alhajas. Abrió los incitantes cajoncitos del escritorio, observó las estilográficas y los lápices, los frascos y cajitas que allí había. Husmeó en los estantes, revolvió baúles, sacó una prenda tras otra, todas las chucherías, todas las joyas, todos los recuerdos, y los inspeccionó con particular cuidado, los evaluó y los dejó en el sitio de de donde los había cogido. ¿Era un ladrón en busca de botín? ¿Quería descubrir el secreto del pasado de aquella mujer? No, decididamente no. Tenía ante sí un mundo nuevo y quería conocerlo totalmente. Nada más.

Eran las once pasadas cuando se hundió en la mullida cama de la habitación de los huéspedes. He ahí una cama como no habían conocido jamás sus huesos. Se le antojó que se hundía a kilómetros de profundidad hasta alcanzar el dulce fondo. Sintió en el cuello el peso cálido y suave de los edredones de raso. Lanzó un suspiro que pareció un sollozo. Por fin habría paz aquella noche. Habló consigo mismo, con calma, en su idioma natal.

—Todo saldrá bien; al cabo de unos días, todo se habrá olvidado. Ella me necesita. Mis hijos me necesitan. Se le pasará en unos cuantos días.

Oyó a lo lejos el repicar de las campanas, la llamada a la Misa del Gallo que se celebraba en la iglesia del Sagrado Corazón. Se incorporó apoyándose en el codo y escuchó. La madrugada del día de Navidad. Vio a su mujer en misa, arrodillada, a sus tres hijos desfilando en procesión devota hasta el altar mayor, mientras el coro cantaba *Adeste fideles*. Su mujer, su conmovedora María. Aquella noche llevaría el sombrero viejo y estropeado, tan antiguo como su matrimonio, y rehecho todos los años para acomodarse al máximo a los nuevos estilos. Sabía él que aquella noche —ni eso, en aquel mismo instante— ella estaría postrada sobre sus rodillas deshechas y rezando con labios trémulos por él y por sus hijos. ¡Oh, estrella de Belén! ¡Oh, natividad del Niño Jesús!

Vio por la ventana los errabundos copos de nieve, Svevo Bandini en la cama de otra mujer mientras su mujer rezaba por su alma inmortal. Permaneció de espaldas, tragándose las lágrimas como puños que le corrían por la cara vendada. Al día siguiente volvería a casa. Tenía que hacerlo. Pediría perdón y paz de rodillas. De rodillas, cuando los hijos se hubieran marchado y su mujer estuviese sola. No lo haría nunca en presencia de los chicos. Se reirían y lo estropearían todo.

A la mañana siguiente, una mirada al espejo echó por tierra la resolución. Ante sí tenía la imagen nauseabunda de su faz destrozada, ahora amoratada e hinchada, con borlas negras bajo los ojos. No podría ver a nadie con aquellas cicatrices delatoras. Sus propios hijos se horrorizarían. Gruñendo y maldiciendo, se dejó caer en un sillón y se tiró del pelo. *Jesu Christi!* No se atrevía ni a salir a la calle. Nadie, al verle, dejaría de leer el idioma de la violencia grabado a fuego en sus facciones. Por más mentiras que contase —que había resbalado en el hielo, que se había peleado con un hombre durante una partida de cartas—, no cabría la menor duda de que la responsable de las heridas de su cara había sido una mano de mujer.

Se vistió, pasó de puntillas ante la puerta cerrada de la viuda y entró en la cocina, donde tomó pan con mantequilla y café solo para desayunar. Volvió a su habitación después de lavar los platos. Se vio reflejado en el espejo de la cómoda por el rabillo del ojo. El reflejo le enfureció tanto que apretó los puños y tuvo que contenerse para no romper el espejo. Se dejó caer en la cama gimiendo y maldiciendo, cabeceando con furia al darse cuenta de que transcurriría una semana hasta que se le cerrasen las heridas, se le bajara la hinchazón y tuviese la cara lista para afrontar la mirada de la sociedad humana.

Día de Navidad nublado. Había cesado de nevar. Se quedó escuchando el goteo de los témpanos que se derretían. A eso de las doce oyó los golpecitos cautos de los nudillos de la viuda en la puerta. Sabía que era ella, y sin embargo saltó de la cama como un criminal perseguido por la policía.

—¿Está usted ahí? —preguntó la mujer.

El hombre no se atrevía a enfrentarse con ella.

—¡Un momento! —dijo.

Abrió con rapidez el primer cajón de la cómoda, sacó una toalla de manos y se rodeó la cara con ella, cubriéndoselo todo menos los ojos. Abrió la puerta entonces. Si le asustó su aspecto, no lo manifestó. Llevaba el pelo recogido por una redecilla muy fina, el cuerpo gordezuelo enfundado en una bata rosa de volantes.

—Feliz Navidad —le dijo sonriendo.

—La cara —dijo él, excusándose, y señalándosela—. La toalla me la mantiene caliente. Así se pondrá mejor más aprisa.

—¿Ha dormido bien?

—Es la mejor cama que he probado en mi vida. Una cama estupenda, muy blanda.

Entró ella en la habitación y tomó asiento en el borde del lecho, dando pequeños botes para probarlo.

—Vaya —dijo—. Es más blanda que la mía.

—Sí, es una cama muy buena, excelente.

La mujer titubeó y a continuación se puso en pie. Le miró fijamente a los ojos.

—Usted sabe que en esta casa es bien recibido —le dijo—. Espero que se quede.

¿Qué debía decir él? Permaneció en silencio, buscando una respuesta, hasta que dio con la más indicada.

—Le pagaré la cama y la comida —dijo—. Le pagaré lo que usted pida.

—¡Vaya ocurrencia! —exclamó la mujer—. ¡Ni se atreva a sugerir tal cosa! Es usted mi invitado. Esto no es una pensión, es mi casa.

—Es usted una mujer buena, señora Hildegarde. Una mujer extraordinaria.

—¡Tonterías!

De todos modos, él tenía intención de pagarle. Dos o tres días, hasta que la cara se le pusiese bien... Dos dólares por día... Lo otro, nunca más.

Quedaba algo, no obstante:

—Tendremos que tener mucho cuidado —dijo la mujer—. Ya sabe usted que a la gente le gusta murmurar.

—Sí, lo sé, lo sé —dijo Bandini.

Quedaba otra cosa aún. Metió ella los dedos en el bolsillo de la bata. Sacó una llave con una cadenita de abalorios.

—Es la llave de la puerta trasera —dijo.

La depositó en la palma masculina y el hombre la observó, haciendo como que era un objeto de lo más extraordinario, aunque no era más que una llave que al cabo del rato se guardó en el bolsillo.

Más pegas:

Esperaba que a él no le importase, pero era Navidad

e iba a recibir visitas por la tarde. Regalos navideños y cosas así.

—Creo que lo mejor sería...

—Claro —dijo él, interrumpiéndola—. Lo comprendo.

—No hay prisa. Dentro de una hora más o menos.

Se marchó entonces. Bandini se apartó la toalla de la cara, se sentó en el lecho y se frotó la nuca con crispación. Volvió a fijarse en la imagen espantosa que le devolvía el espejo. *Dio Christo!* Si parecía estar peor que antes. ¿Qué haría ahora?

De pronto se vio desde otra perspectiva. Le sublevó la estupidez de la situación. ¿Qué clase de asno era él, que se dejaba tirar del cabestro porque iba a ir gente a la casa? Él no era ningún delincuente; era un hombre, un hombre honrado además. Tenía un oficio. Estaba afiliado al sindicato. Era un ciudadano norteamericano. Era un padre de familia, con hijos. Su casa no estaba muy lejos; es posible que no fuera suya, pero era su casa, el techo que le cobijaba. ¿Qué le había sucedido para que tuviera que escabullirse y esconderse como un asesino? Había obrado mal —*certamente*—, pero ¿había algún hombre en la tierra que no hubiera obrado mal?

Su cara, ¡bah!

Se plantó ante el espejo y sonrió con mueca de desdén. Se quitó las vendas una tras otra. Había cosas más importantes que su cara. Además, en unos días volvería a estar como un reloj. No era ningún cobarde; era Svevo Bandini; por encima de todo, un hombre, un hombre bragado. Y como un hombre, se pondría delante de María y le pediría perdón. No suplicaría. No rogaría. Perdóname, le diría. Perdóname. Me he portado mal. No volverá a ocurrir.

La determinación le produjo un escalofrío satisfactorio que le recorrió por entero. Cogió el chaquetón, se caló el sombrero hasta los ojos y salió tranquilamente de la casa sin decir una palabra a la viuda.

¡Navidad! Abrió el pecho al día, tragando profundas

bocanadas de aire. ¡Menuda Navidad iba a ser! Era fabuloso tener valor suficiente para poner en práctica las propias convicciones. ¡La gloria de ser un hombre bragado y de honor! Al llegar a la primera calle del pueblo, vio a una mujer con sombrero rojo que se le acercaba. Había llegado la hora de poner a prueba la cara. Echó los hombros atrás, alzó la barbilla. Comprobó con alegría que la mujer ni siquiera le miraba tras echarle un rápido vistazo. Silbó *Adeste fideles* el resto del camino.

¡Aquí estoy, María!

No se había quitado la nieve del sendero de la entrada. O sea que los críos habían estado haciendo el vago en su ausencia. Bueno, aquello se iba a terminar inmediatamente. A partir de aquel momento, las cosas iban a ser muy distintas. No sólo él, la familia entera iba a emprender una vida nueva a partir de aquel día.

Era extraño, pero la puerta principal estaba cerrada con llave y se habían corrido las cortinas. Bueno, no era tan extraño: recordó que el día de Navidad celebraban cinco misas en la iglesia, la última a mediodía. Los chicos estarían en la iglesia. María, sin embargo, siempre iba a la Misa del Gallo de Nochebuena. Tenía que estar en casa, pues. Llamó en vano a la puerta. Rodeó la casa, fue a la puerta trasera y comprobó que también estaba cerrada con llave. Miró por la ventana de la cocina. Una columna de humo que surgía de la tetera, que estaba sobre la estufa, le informó inequívocamente que había alguien en la casa. Volvió a llamar, esta vez con ambos puños. No hubo respuesta.

—Qué leches pasará —murmuró, y siguió rodeando la casa hasta llegar a la ventana de su dormitorio. Aunque se había echado la persiana, la ventana estaba abierta. Tabaleó en ella con las uñas y la llamó por su nombre.

—María. Vamos, María.

—¿Quién es? —La voz parecía soñolienta y cansada.

—Soy yo, María. Abre.

—¿Qué quieres?

Oyó que se levantaba de la cama, y el ruido de una silla, como si hubiese tropezado en la oscuridad. Se abrió un boquete en el lado de la persiana y vio la cara femenina, abotargada de sueño, los ojos vacilantes y en retroceso ante la nieve blanca y cegadora. Bandini se atragantó, emitió una risa breve de alegría y miedo.

—María.

—Largo —dijo ella—. No quiero verte.

—Pero María. ¡Escucha!

La voz femenina sonó tensa y crispada.

—No quiero estar cerca de ti. Vete. No soporto tu presencia.

Bandini puso las manos en la celosía y empujó ésta con la cabeza, en actitud de súplica.

—María, por favor. Tengo que decirte una cosa. Abre la puerta, María, déjame hablar.

—¡Dios mío! —exclamó la mujer—. ¡Vete, vete! ¡Te odio, te odio!

Algo se estrelló con ruido en la celosía, apartó la cabeza de modo instintivo, el desgarrón de la tela metálica tan cerca de su oreja que creyó que le habían alcanzado. Oyó dentro los sollozos e hipidos de María. Se echó atrás y observó la persiana y la celosía rota. Hundidas hasta el mango en ésta, había unas tijeras largas. Sudaba por todos los poros al volver a la calle y el corazón le latía como una maza. Al meter la mano en el bolsillo para sacar el pañuelo, sus dedos rozaron algo frío y metálico. Era la llave que le había dado la viuda.

De acuerdo. Sea, pues.

9

TERMINARON las vacaciones navideñas y el 6 de enero se volvió a abrir la escuela. Habían sido unas vacaciones desastrosas, llenas de peleas y tristeza. Dos horas antes de que sonara el primer timbrazo, August y Federico estaban sentados en las escaleras de la entrada de Santa Catalina, en espera de que abriese el bedel. No estaba bien pregonarlo a los cuatro vientos, pero estar en el colegio era mucho mejor que estar en casa.

No pensaba Arturo lo mismo.

Cualquier cosa antes que afrontar otra vez a Rosa. Salió de casa minutos antes de que comenzaran las clases, andando despacio y deseoso de llegar tarde para que no hubiera ninguna oportunidad de encontrársela en el vestíbulo. Llegó quince minutos después de sonar el timbre y subió las escaleras casi a rastras, como si se le hubieran roto las dos piernas. Su actitud se metamorfoseó en el instante en que tocó el pomo de la puerta del aula. Despierto y alerta, jadeando como si acabase de correr de lo lindo, giró el pomo, se introdujo en el interior como una flecha y corrió de puntillas hacia el asiento.

La hermana Mary Celia estaba a la pizarra, en el extremo opuesto al pupitre de Rosa. Arturo se alegró, porque aquello le evitaba un encuentro casual con los dulces ojos de Rosa. La hermana Celia explicaba cómo se averiguaba el área de un triángulo rectángulo, y, no sin violencia, rompiendo la tiza mientras dibujaba con furia figuras grandes e imponentes en la pizarra, repartía la atención visual entre la pizarra y Arturo, con el ojo de vidrio más destellante que nunca. Recordó el muchacho el rumor que corría entre los compañeros a propósito de aquel ojo: que, por la noche, cuando la monja dormía y el ojo descansaba en la cómoda, el ojo se ponía más brillante si había ladrones cerca. La monja acabó de dibujar en la pizarra y se sacudió las manos para limpiárselas de tiza.

—Bandini —dijo—. Has empezado el año nuevo con una asombrosa fidelidad a tus antiguas costumbres. Justifica tu proceder, por favor.

Arturo se puso en pie.

—Esto se pone divertido —murmuró alguien.

—Fui a la iglesia a rezar el rosario —dijo Arturo—. Quería pedir a la Santísima Virgen que me concediera un año bueno.

Un argumento así era siempre incontestable.

—Chorradas —murmuró alguien.

—Quiero creerte —dijo la hermana Celia—. Aunque me cuesta. Siéntate.

Se recostó sobre el pupitre, tapándose el lado izquierdo de la cara con las dos manos. Los análisis geométricos continuaron con monotonía. Abrió el libro de texto sin dejar de taparse la cara con las manos. Pero tenía que verla. Abrió los dedos y miró por el resquicio. Entonces se puso recto.

El pupitre de Rosa estaba vacío. Arturo miró a su alrededor. La joven no estaba en el aula. Rosa no estaba en la escuela. Durante diez minutos se esforzó por serenarse y sentirse contento. Entonces vio a la rubia Gertie Williams al otro lado del pasillo. Gertie y Rosa eran amigas.

Pssssst, Gertie.

La chica volvió la cabeza.

—Oye, Gertie, ¿dónde está Rosa?

—No ha venido.

—Ya lo sé, imbécil. ¿Dónde está?

—No lo sé. En su casa, supongo.

Odiaba a Gertie. Siempre le había caído gorda, igual que aquella mandíbula suya, puntiaguda y pálida, que no hacía más que moverse de tanto masticar chicle. Siempre sacaba notable en los exámenes porque Rosa la ayudaba. Gertie era tan transparente que se le podía ver la nuca a través de los ojos pálidos y comprobar así que entre ambos extremos no había nada, nada en absoluto salvo ganas de estar con chicos, aunque no con chicos como él, porque él era de los de uñas sucias, porque Gertie tenía un aire distante que hacía que él advirtiese su desdén.

—¿La has visto últimamente?

—Últimamente no.

—¿Cuándo la viste por última vez?

—Hace ya bastante.

—¿Cuándo, so gilipollas?

—El día de Año Nuevo —dijo Gertie con sonrisa de desprecio.

—¿Se marcha? ¿Cambia de colegio?

—Creo que no.

—¿Cómo puedes ser tan ceporra?

—¿Es que no te gusta?

—¿Tú qué crees?

—Entonces no me dirijas la palabra, Arturo Bandini, porque yo no tengo ningunas ganas de hablar contigo.

Mierda. Ya se le había estropeado el día. Durante todos aquellos años él y Rosa habían estado en la misma clase. Llevaba dos enamorado de ella; día tras día, durante siete años y medio, Rosa había estado en el mismo recinto que él y ahora estaba vacío su pupitre. Lo único que le importaba en el mundo, casi tanto como el béisbol, y había desaparecido, sólo aire enrarecido alrededor del lugar que antaño adornaba su cabellera negra. Sólo aire y un pequeño pupitre rojo con una fina capa de polvo encima.

La voz de la hermana Mary Celia se volvió áspera y odiosa. La clase de geometría engarzó con la de lengua. Sacó el Anuario Spalding de Béisbol y analizó la media de golpes y pelotas recogidas por Wally Ames, tercer base de los Mundhens de Toledo, de la Federación Norteamericana.

Agnes Hobson, aquella enana chiflada, pelotillera y falsa que tenía los saltones incisivos envueltos en hilo de cobre, leía en voz alta *La dama del lago* de Walter Scott.

Jo, vaya peñazo. Para combatir el aburrimiento, calculó la media de Wally Ames a lo largo de toda su actividad profesional y la comparó con la de Nick Cullop, incontenible quebrantabarreras de los Crackers de Atlanta, de la Federación Meridional. La media de Cullop, después de una hora de abstrusas operaciones matemáticas que llenaron cinco cuartillas, estaba cinco puntos por encima de la de Wally Ames.

Suspiró de placer. Había en aquel nombre —Nick Cullop— algo que le hacía pensar en trompazos y batacazos y que le gustaba más que el prosaico Wally Ames. Acabó por detestar a Ames y por especular sobre Cullop, sobre su aspecto, sobre sus temas de conversación, sobre lo que haría si Arturo le pidiese un autógrafo por carta. El día terminaba. Le dolía el culo y los ojos se le humedecían a causa del sueño. Bostezaba y sonreía con desprecio y sin excepción, ante todo lo que explicaba la hermana Celia. Pasó la tarde lamentando con amargura las cosas que no había hecho, las tentaciones a que se había resistido durante las vacaciones que ya habían pasado y acabado para siempre.

Días intensos, días tristes.

Fue puntual a la mañana siguiente, y calculó la velocidad para que el instante de poner el pie en el umbral coincidiese con el del timbrazo. Subió corriendo las escaleras y se puso a mirar hacia el pupitre de Rosa antes de verlo tras el tabique del guardarropa. El pupitre estaba vacío. La hermana Mary Celia pasaba lista.

Payne. Presente.

Penigle. Presente.

Pinelli.

Silencio.

Vio que la monja ponía una X en la lista. La guardó en el cajón del escritorio y llamó al orden a la clase para rezar las oraciones matutinas. La ordalía había empezado otra vez.

—Sacad el libro de geometría.

Anda y que te zurzan, dijo Arturo para sí.

Pssssst, Gertie.

—¿Has visto a Rosa?

—No.

—¿Está en el pueblo?

—No lo sé.

—Es amiga tuya. ¿Por qué no lo averiguas?

—Puede que sí. Y puede que no.

—Buena chica.

—¿Te gusta mejor así?

—Lo que me gustaría es hacerte tragar el chicle de un puñetazo.

—¡Atrévete, chulo, más que chulo!

A mediodía se dejó caer por el campo de béisbol. No nevaba desde Navidad. El sol pegaba con fuerza, manchaba el cielo de amarillo iracundo, vengándose así de un mundo montañoso que en su ausencia se había quedado dormido y congelado. Bloques de nieve se desplomaban de los álamos desnudos que rodeaban el campo y daban en tierra, donde aún sobrevivían lo que la boca amarilla del cielo tardaba en enviarlos a la región del olvido a lengüetadas. La tierra rezumaba vapor, un vaho neblinoso que manaba de la tierra y se perdía entre esguinces y requiebros. Hacia el oeste, las nubes tormentosas se retiraban con ruidoso galope, renunciando al asalto de las montañas, cuyos picos poderosos e inocentes estiraban los puntiagudos labios hacia el sol en señal de agradecimiento.

Un día cálido, pero demasiado húmedo para jugar a béisbol. Hundió los pies en el barro negro y silbante que rodeaba la zona del *pitcher*. Mañana, tal vez. O pasado. Pero ¿dónde estaba Rosa? Se apoyó en uno de los álamos. Aquél era el territorio de Rosa. Aquél era el árbol de Rosa. Porque lo has mirado, porque tal vez lo hayas tocado. Y aquéllas son las montañas de Rosa, que acaso esté mirando en estos instantes.

Pasó ante su casa, por la acera de enfrente, al salir del colegio. Wiggins el Rumiante, que repartía el *Denver Post,* se acercaba con la bicicleta, arrojando vespertinos hacia todos los soportales con indiferencia absoluta. Arturo le silbó y se puso a su altura.

—¿Conoces a Rosa Pinelli?

El Rumiante escupió un chorro de saliva atabacada sobre la nieve.

—¿Te refieres a la chorba italiana que vive tres casas más abajo? Pues claro que la conozco, ¿por qué?

—¿La has visto últimamente?

—No.

—¿Cuándo la viste por última vez, Rumiante?

El Rumiante se inclinó sobre el manillar, se limpió el sudor de la cara, volvió a escupir un chorro de saliva atabacada y se entregó a una concienzuda comprobación mental. Arturo aguardó con paciencia, deseoso de oír una buena noticia.

—La última vez que la vi fue hace tres años —dijo por fin el Rumiante—. ¿Por qué?

—Por nada —dijo Arturo—. Olvídalo.

¡Hacía tres años! Y el muy capullo lo había dicho como si tal cosa.

Días intensos, días tristes.

En casa reinaba el caos. Al volver de la escuela, encontraron las puertas abiertas y la casa a merced del atardecer frío. Las estufas estaban apagadas y con el brasero rebosante de ceniza. ¿Dónde está mamá? Y se pusieron a buscarla. Nunca se alejaba mucho, a veces hasta el antiguo establo de piedra del pastizal, donde se sentaba en una caja o se apoyaba en la pared, los labios en movimiento continuo. Una vez la estuvieron buscando hasta bien entrada la noche, recorrieron todo el vecindario, miraron en establos y cobertizos, y rastrearon sus huellas por la orilla del torrente que, de la noche a la mañana, se había metamorfoseado en un fierabrás parduzco y blasfemo que devoraba la tierra y los árboles rugiendo con espíritu de desafío. Se sentaron en la orilla y contemplaron la revuelta corriente. No hablaban. Se separaron y buscaron en ambos sentidos del río. Una hora después volvieron a casa. Arturo encendió el fuego. August y Federico se apelotonaron alrededor.

—Volverá en seguida.

—Claro.

—Puede que esté en la iglesia.

—Puede.

La oyeron bajo sus pies. Allí la encontraron, en la bodega, arrodillada ante la barrica de vino que papá había prometido no abrir hasta que tuviera diez años. No prestó atención a las súplicas de los hijos. Miró con indiferencia los ojos lloriqueantes de August. Los tres eran conscientes del escaso interés que despertaban. Arturo la cogió del brazo con dulzura para ponerla en pie. El dorso de la mano de la madre le cruzó la cara en el acto. Idiota. Se echó a reír, un poco involuntariamente, y se frotó la mejilla enrojecida con la mano.

—Dejadla sola —dijo a los demás—. Quiere estar sola.

Ordenó a Federico que le llevase una manta. El muchacho la cogió de la cama y bajó con ella, la extendió y la puso sobre los hombros de su madre. Ésta se enderezó, la manta resbaló y le cubrió las piernas y los pies. Ya no podía hacerse nada más. Subieron y esperaron.

Apareció al cabo de un buen rato. Estaban sentados a la mesa de la cocina, jugando con los libros, procurando ser aplicados, procurando ser buenos chicos. Vieron el amoratamiento de los labios de la madre. Oyeron su voz opaca.

—¿Habéis cenado?

Claro que habían cenado. Una cena de órdago, además. La habían preparado ellos mismos.

—¿Qué habéis comido?

Tuvieron miedo de responder.

Hasta que Arturo dijo:

—Pan y mantequilla.

—No hay mantequilla —dijo la madre—. Hace tres semanas que no hay mantequilla en esta casa.

Federico se echó a llorar al oír aquello.

Dormía por la mañana cuando los muchachos se fueron a la escuela. August quiso subir para darle un beso de despedida. Y lo mismo Federico. Le quisieron decir algo a propósito de la comida de los tres, pero dormía, dormía aquella extraña acostada que les trataba con indiferencia.

—Más vale dejarla sola.

Suspiraron y se fueron. A la escuela. August y Federico juntos, y Arturo un instante después, tras reducir el fuego y echar un último vistazo a la casa. ¿Y si la despertaba? No, que durmiera. Llenó un vaso con agua y se lo dejó junto a la cama. A la escuela ya, y se alejó de puntillas.

Pssssst. Gertie.

—¿Qué quieres?

—¿Has visto a Rosa?

—No.

—¿Qué le pasa?

—No lo sé.

—¿Está enferma?

—Imagino que no.

—Tú eres *incapaz* de imaginar. Eres idiota perdido.

—Pues no me dirijas la palabra.

A mediodía volvió al campo de béisbol. El sol seguía irritado. El terraplén que rodeaba el rombo se había secado y casi toda la nieve se había derretido. En un oscuro rincón pegado a la valla del campo derecho el viento había amontonado la nieve y bordado encima un encaje de porquería. Pero por lo demás estaba bastante seco, y hacía un tiempo ideal para entrenarse. Pasó el resto del descanso del mediodía consultando con los miembros del equipo. ¿Qué os parece si entrenamos esta noche? El terreno está perfecto. Le escucharon con cara de extrañeza, hasta Rodríguez, el *cat-*

cher, el único de todo el colegio a quien el béisbol le entusiasmaba tanto como a él. Espera, le dijeron. Espera a la primavera, Bandini. Discutió con ellos por aquella cuestión. Ganó la disputa. Pero al acabar las clases, tras permanecer sentado y solo durante una hora al pie de los álamos que flanqueaban el campo, supo que los demás no acudirían y se fue a casa despacio, pasando ante la casa de Rosa, por el mismo lado de la calle, pegado al borde del césped de la entrada. La hierba estaba tan verde y hermosa que sentía su sabor en la boca. Una mujer salió de la casa de al lado, cogió el periódico, repasó los titulares y se le quedó mirando con suspicacia. No hago nada: es que pasaba por aquí. Se puso a silbar un himno y siguió andando por la calle.

Días intensos, días tristes.

Su madre había lavado ropa aquel día. Llegó a la casa por el callejón y la vio tendida en las cuerdas. Había oscurecido y se había desatado un frío repentino. La ropa pendía helada y rígida. Fue tocando las prendas rígidas mientras avanzaba por el sendero, pasándoles la mano por encima hasta que llegó al final de las cuerdas. Extraño momento para lavar ropa, porque desde siempre había sido el lunes el día de la colada. Y aquel día era miércoles, jueves tal vez; pero lunes, seguro que no. Una colada extraña, por otra parte. Se detuvo en el soportal trasero para meditar a propósito de aquella extrañeza. Comprendió entonces de qué se trataba: todas las prendas tendidas, rígidas y limpias, pertenecían a su padre. No había ninguna suya ni de sus hermanos, ni siquiera unos calcetines.

Pollo para cenar. Se detuvo en la puerta y fue retrocediendo a medida que el aroma del pollo asado le atacaba las narices. Pollo, pero ¿de dónde había salido? El único animal que quedaba en el gallinero era Tony, el gallo gigantesco. Su madre no mataría nunca a Tony. Quería al Tony aquel por su cresta airosa y grande y sus plumas hermosas y coquetas. Le había puesto ajorcas rojas de plástico sobre los espolones de las patas y se moría de risa al ver la vanidosa arrogancia de sus movimientos. Pero era Tony: en el escurridor vio las dos ajorcas partidas por la mitad, semejantes a dos uñas rojas.

Lo trocearon en un abrir y cerrar de ojos, aunque la carne estaba dura. María no lo probó. Lo único que hizo fue mojar pan en la capa amarillenta de aceite de oliva que había en su plato. Recuerdos de Tony: ¡había sido un gallo colosal! Reflexionaron sobre su largo reinado en el corral: evocaron su época. María mojaba el pan en aceite de oliva y miraba al vacío.

—Pasan cosas que no pueden mencionarse —dijo de súbito—. Porque si se tiene fe en Dios, hay que rezar, pero yo no voy por ahí pregonándolo.

Se le detuvieron las mandíbulas y se la quedaron mirando.

Silencio.

—¿Qué dices, mamá?

—No he dicho nada.

Federico y August se miraron y esbozaron una sonrisa forzada. La cara de August se puso blanca como la tiza, se levantó y abandonó la mesa. Federico cogió un trozo de pechuga y fue tras él. Arturo escondió las manos bajo la mesa y se las estrujó hasta que el dolor le contuvo el deseo de llorar.

—¡Cómo estaba el pollo! —exclamó—. Deberías probarlo, mamá. Aunque sólo fuera un bocado.

—Ocurra lo que ocurra, la fe es necesaria —dijo la madre—. No poseo vestidos elegantes y no voy al baile con él, pero tengo fe y ellos no lo saben. Pero Dios sí lo sabe, y la Virgen María, y suceda lo que suceda, lo saben. A veces me quedo aquí todo el día, y lo saben, al margen de lo que ocurra, porque Dios murió en la cruz.

—Pues claro que lo saben —dijo Arturo.

Se levantó, la abrazó y le dio un beso. Le echó un vistazo al pecho: blancos senos colgantes, y pensó en niños pequeños, en la infancia de Federico.

—Pues claro que lo saben —repitió. Pero sentía una vaga inquietud y no podía soportarlo—. Claro que lo saben, mamá.

Echó atrás los hombros y salió de la cocina, rumbo al ropero de su cuarto. Descolgó la bolsa de la ropa sucia del gancho que había detrás de la puerta y se envolvió la cara con ella. Entonces dio rienda suelta a sus emociones y lloró y chilló hasta que le dolieron las costillas. Cuando acabó, seco y limpio por dentro, libre de dolor, excepción hecha del escozor de los ojos, supo, al entrar en la claridad de la salita, que tenía que encontrar a su padre.

—Vigiladla —dijo a sus hermanos. La madre había vuelto a acostarse y la podían ver por la puerta abierta, la cara vuelta hacia un lado.

—¿Qué hacemos, si se le ocurre hacer cualquier cosa? —preguntó August.

—No hará nada. Estaos quietos y sed amables.

El claro de luna. Luz suficiente para jugar al béisbol. Tomó el atajo del puente. Debajo de él, debajo del puente, un grupo de personas se apelotonaba alrededor de un fuego rojo y amarillo. A medianoche cogerían el veloz mercancías que iba a Denver, a cincuenta kilómetros de distancia. Se puso a inspeccionar la cara de los reunidos por si veía la de su padre. Pero Bandini no estaría allí; el sitio ideal para encontrar a su padre era los Billares Imperial o la habitación de Rocco Saccone. Su padre estaba sindicado. No estaría debajo del puente.

Ni en el salón de jugar a las cartas del Imperial.

Jim el camarero.

—Se fue hace un par de horas con ese Macarroni que trabaja de picapedrero.

—¿Se refiere usted a Rocco Saccone?

—El mismo, ese italiano de pinta así, muy chula.

Encontró a Rocco en su habitación, sentado ante el mueble de la radio, al lado de la ventana, comiendo nueces y oyendo música de jazz. A sus pies había un periódico desplegado para recoger la cáscara de las nueces. Se quedó en la puerta, la oscuridad dulce de los ojos de Rocco le dio a entender que no era bien recibido. Pero su padre no estaba en el cuarto, ni rastro de él.

—¿Dónde está mi padre, Rocco?

—¿Por qué tengo que saberlo? Es tu padre, no el mío.

Pero Arturo poseía un instinto infantil para la verdad.

—Creí que vivía aquí contigo.

—Tu padre vive solo.

Se dio cuenta de que era mentira.

—¿Dónde?

Rocco agitó las manos.

—No sé. Ya no nos vemos.

Otra mentira.

—Jim el camarero dice que has estado con él esta noche.

Rocco se puso en pie de un salto y agitó el puño.

—Ese Jim, ¡ese mentiroso cabrón! Siempre mete la nariz donde no le llaman. Tu padre es un hombre. Sabe lo que se hace.

Entonces cayó en la cuenta.

—Rocco —le dijo—. ¿Conoces a una mujer que se llama Effie Hildegarde?

Rocco pareció desconcertado.

—¿Effie Hildegarde? —Escrutó el techo—. ¿Quién es esa tía? ¿Para qué quieres saberlo?

—Para nada.

Ahora estaba seguro. Rocco corrió tras él por el pasillo y le gritó desde lo alto de la escalera:

—¡Nino, niño! ¿Adónde vas?

—A mi casa.

—Bien hecho —dijo Rocco—. Los niños tienen que quedarse en casa.

Estaba en tierra prohibida. A mitad de camino de la casa de Effie Hildegarde supo que no se atrevería a mirar a su padre a la cara. Allí no tenía ningún derecho. Su presencia era una intrusión, un atrevimiento. ¿Cómo iba a decirle a su padre que volviese a casa? ¿Y si su padre le replicaba: vete a la mierda? Porque sabía que era exactamente lo que le diría su padre. Lo mejor era dar media vuelta y volver a casa, porque se estaba adentrando en una esfera de experiencias desconocidas para él. Allí arriba estaba su padre con una mujer. En ello radicaba la diferencia. Recordó algo entonces: cierta vez, siendo él más pequeño, fue a buscar a su padre a los billares. El padre se levantó de la mesa y fue tras él hasta el exterior. Allí me atenazó el cuello con los dedos, sin apretar pero con ganas de apretar, y me dijo: no vuelvas a hacerlo.

Tenía miedo a su padre, tenía un miedo pavoroso a su padre. No le había dado más que tres palizas en su vida. Sólo tres, pero muy violentas, aterradoras, de las que no se olvidan.

No, gracias: nunca más.

Se detuvo al socaire de la pinada densa que llegaba hasta el camino curvo de la entrada, a partir del cual se extendía una superficie de césped que terminaba ante la casa de piedra. Había luz tras las persianas venecianas de las dos ventanas delanteras, pero las persianas cumplían su cometido. La vista de la casa, muy pálida a la luz de la luna y al resplandor de las montañas blancas que descollaban hacia occidente, la vista de aquel lugar tan hermoso hizo que se sintiera muy orgulloso de su padre. Sobraban las palabras: era sencillamente genial. Su padre era un tirao y un mierda y todo lo demás, pero ahora estaba en aquella casa, lo cual demostraba algo sin lugar a dudas. No serás tan tirao cuando eres capaz de agenciarte algo así. Eres un tío de pelo en pecho, papá. Eres fenomenal. Mamá, ya sabes, pero eres cojonudo. Los dos lo somos, tú y yo. Porque algún día lo haré yo también y ella se llama Rosa Pinelli.

Anduvo de puntillas por el camino de grava hasta una franja de césped empapado que discurría hacia el garaje y el jardín trasero. El revoltillo de pedruscos, tablones, calderetas de argamasa y el cedazo de la arena que había en el jardín le informaron que su padre estaba haciendo allí algún trabajo. Lo que construía, fuera lo que fuese, se alzaba semejante a un túmulo negro, cubierto de lona y paja para evitar que la argamasa se helase.

De pronto sintió una desilusión amarga. Es posible que, a fin de cuentas, su padre no viviera allí. Tal vez se le había contratado como a un albañil vulgar y corriente que se iba por la noche y volvía por la mañana. Alzó la lona. Era un banco de piedra o algo parecido; le era igual. Todo era una patraña. Su padre no vivía con la mujer más rica del pueblo. Joder, sólo trabajaba para ella. Volvió a la carretera con hastío, por el centro del camino de grava, demasiado decepcionado para preocuparse por los crujidos que sus pies despertaban en la grava.

Al llegar a los pinos, oyó el chasquido de una cerradura. Se echó cuerpo a tierra inmediatamente, hundió la cara en un montón húmedo de púas de pino y un chorro de luz procedente de la puerta de la casa barrió la oscuridad de la noche. Un hombre salió por la puerta y se quedó al borde del pequeño soportal, la roja punta de un puro encendido y semejante a una canica encarnada en los alrededores de la boca. Era Bandini. Miró al cielo y aspiró el aire frío a bocanadas. Arturo se estremeció de placer. ¡Por los huevos de san Judas, pero si parecía un duque! Llevaba zapatillas de color rojo subido, un pijama azul y una bata roja con borlas blancas en los extremos del cinturón. ¡Por san Judas y los huevos de todos los santos, pero si parecía Helmer el banquero, y el presidente Roosevelt! ¡Y el rey de Inglaterra! ¡Qué tío, oye! Cuando su padre volvió al interior y cerró la puerta tras de sí, se puso a besar la tierra de alegría, a mordisquear las amargas púas de pino. ¡Y pensar que había ido para llevarse a casa a su padre! Qué idiota. Por nada en el mundo alteraría la imagen de su padre rodeado del esplendor de aquel mundo nuevo. Su madre sufriría; él y sus hermanos pasarían hambre. Pero valía la pena. Ah, qué aspecto tan señorial. Mientras corría montaña abajo, dando saltos, arrojando piedras al barranco de tarde en tarde, devoraba con avidez los detalles de la escena que acababa de presenciar.

Pero una mirada a la cara consumida y agotada de la madre que dormía con el sueño que no descansa le bastó para volver a sentir odio por su padre.

La zarandeó.

—Le he visto —dijo.

La madre abrió los ojos y se humedeció los labios.

—¿Dónde está?

—Vive en la Pensión Montañas Rocosas. En el mismo cuarto que Rocco, con Rocco solamente.

La madre cerró los ojos y ladeó la cara, apartando el hombro de la leve caricia de la mano filial. Arturo se desnudó, apagó las luces de la casa, se metió en el lecho y se pegó a la espalda caliente de August hasta que se le pasó el frío que le daban las sábanas.

Despertó en cierto momento de la noche, abrió los ojos legañosos y vio a su madre sentada junto a él, sacudiéndole para que se despejara.

—¿Qué te dijo? —preguntó la madre entre susurros.

—¿Quién? —Pero se acordó en el acto y se incorporó—. Dijo que estaba deseando volver a casa. Que no le abandonaras. Dijo que serías capaz de echarle a patadas. Tiene miedo de volver.

María se irguió con soberbia.

—Se lo merece —dijo—. No puede hacerme eso a mí.

—Parecía muy triste y abatido. Como si estuviera enfermo.

—¡Ja!

—Quiere volver a casa. Sufre mucho.

—Mejor —dijo María, arqueando la espalda—. Así aprenderá lo que significa responsabilizarse de una casa. Que esté por ahí unos días más. Vendrá arrastrándose de rodillas. Lo conozco.

Arturo estaba muy cansado y se quedó dormido mientras escuchaba a su madre.

Días intensos, días tristes.

Cuando despertó a la mañana siguiente, vio que August estaba con los ojos abiertos de par en par y los dos se pusieron a escuchar los ruidos que les habían despertado. Era mamá, que estaba en la salita pasando la aspiradora manual por la alfombra, la aspiradora manual que hacía esquíquidi-bamp, esquíquidi-bamp. El desayuno consistía en pan y café. Mientras se lo tomaban, la madre les preparó los bocadillos con las sobras del pollo de la víspera. Los chicos estaban muy contentos: la madre se había puesto su bonita bata azul y se había peinado a conciencia, más a conciencia que nunca, con un moño en lo alto de la cabeza. Nunca la habían visto con las orejas tan al descubierto. Por lo general llevaba el pelo suelto y éste las ocultaba. Unas orejas bonitas, pequeñas y de color de rosa.

Y August que decía:

—Hoy es viernes. Tendremos que comer pescado.

—Cierra la bendita boca —le dijo Arturo.

—No sabía que fuera viernes —dijo Federico—. ¿Por qué has tenido que recordárnoslo, August?

—Porque nació el día de santa Rosa y nos salió capullo —dijo Arturo.

—No es pecado comer pollo en viernes cuando no se puede comprar pescado —dijo María.

Así se habla. Tres hurras por mamá. Todos a-buuuh-buuuuh-chearon a August, que emitió un bufido de desprecio.

—Me es igual, hoy no pienso comer pollo.

—Como quieras, capullito.

Pero se mantuvo en sus trece. María le preparó un bocadillo de aceite y sal. Su ración de pollo se la repartieron sus dos hermanos.

Viernes. Día de exámenes. Sin Rosa.

Psssst, Gertie. La interpelada hizo una pompa de chiclé y se volvió hacia él.

No, no había visto a Rosa.

No, no sabía si Rosa estaba en el pueblo.

No, no había oído nada. Pero aunque se hubiera enterado de algo, no se lo diría. Porque, si había de serle franca, prefería no hablar con él.

—Cabra loca —le dijo—. Que no paras de rumiar.

—¡Macarroni!

Arturo enrojeció y medio se levantó del asiento.

—¡Puta guarra, puta cerda, puta asquerosa!

La muchacha tragó saliva y se tapó el rostro horrorizada.

Día de exámenes. Hacia las diez y media sabía que le habían cargado la geometría. Cuando sonó el timbre del mediodía aún bregaba con las preguntas de lengua. No quedaba nadie más en el aula, estaba solo con Gertie Williams. Cualquier cosa por terminar antes que Gertie. Hizo caso omiso de las tres últimas preguntas, recogió aprisa las cuartillas y las dobló por la mitad. Ya ante la puerta del guardarropa, miró por encima del hombro y sonrió con burla triunfal a Gertie, su rubio pelo enmarañado, sus dientes de rata mordisqueando con nerviosismo la punta del lápiz. La muchacha le devolvió una mirada de odio inefable con ojos que decían: me las pagarás, Arturo Bandini, me las pagarás.

A las dos en punto de la tarde vengaba la afrenta.

Pssssst, Arturo.

La nota que le había escrito la muchacha cayó sobre el manual de historia del joven. La deslumbrante sonrisa de Gertie, la desquiciada expresión de sus ojos y las mandíbulas que habían dejado de movérsele aconsejaron a Arturo que no leyese la nota. Pero sentía curiosidad.

Estimado Arturo Bandini:

Hay listos y listos, y también simples extranjeros que no pueden hacer nada por evitarlo. Tú te crees muy listo, pero caes gordo a muchos del colegio, Arturo Bandini. Pero a quien más gordo caes es a Rosa Pinelli. Te desprecia incluso más que yo, pero porque yo sé que eres un pobre italiano y no me importa que vayas sucio siempre. Sé que los que no tienen nada suelen acabar dedicándose al robo, así que no me sorprendió que alguien (adivina quién) me dijera que robaste una joya para dársela a su hija. Ella era demasiado honrada para quedársela y creo que al devolverla demostró que tenía carácter. Por favor, Arturo Bandini, no vuelvas a preguntarme nunca más por Rosa Pinelli, porque Rosa Pinelli no te aguanta. Anoche me dijo que le dabas miedo porque eras de la piel del diablo. Yo creo que a lo mejor es porque eres extranjero.

ADIVINA QUIÉN

Sintió que el estómago se le iba flotando y en sus labios trémulos bailoteó una sonrisa triste. Se volvió despacio y se quedó mirando a Gertie con cara de haba y sonrisa triste. En los ojos claros de la joven había una expresión de placer, pesar y horror. Arrugó la nota, se desplomó hasta donde las piernas se lo permitían y se tapó la cara. Salvo por el rugido cardíaco, estaba muerto, no oía, no veía, no sentía absolutamente nada.

Un momento después advertía el rumor general que se despertaba a su alrededor, el cuchicheo creciente y nervioso que se extendía por el aula. Algo había sucedido, se notaba en el aire. La hermana superiora se alejaba y la hermana Celia volvía a la mesa de la tarima.

—Poneos todos en pie y arrodillaos.

Se pusieron en pie y en medio del silencio ninguno apartaba la mirada de los ojos serenos de la monja.

—Acabamos de recibir una noticia trágica del hospital de la Universidad —dijo—. Tenemos que ser valientes y ponernos a rezar. Nuestra querida compañera, nuestra queridísima Rosa Pinelli, ha muerto a las dos en punto de esta misma tarde a consecuencia de una pulmonía.

Había pescado para cenar porque la abuela Donna había enviado cinco dólares por correo. Una cena tardía: no se sentaron hasta las ocho. Y sin que mediara motivo alguno. El pescado se cocinó y terminó de preparar mucho antes, pero María lo tuvo en el horno. Cuando se reunieron alrededor de la mesa hubo un pequeño revuelo, Federico y August se disputaban un sitio. Entonces vieron de qué se trataba. Mamá había vuelto a poner el cubierto de papá.

—¿Va a venir? —preguntó August.

—Pues claro que va a venir —dijo María—. ¿Dónde quieres que cene, si no?

Curiosa charla. August la observó con atención. Llevaba otra bata limpia, esta vez la verde, y comía con apetito. Federico engulló su vaso de leche y se limpió la boca.

—Oye, Arturo. Se ha muerto tu novia. En clase nos pusieron a rezar.

Arturo no comía, jugueteaba con su ración de pescado con el extremo del tenedor. Durante dos años se había jactado ante sus padres y hermanos de que Rosa era su novia. Ahora tenía que tragarse sus palabras.

—No era mi novia. Era sólo una amiga.

Pero agachó la cabeza al advertir la mirada de su madre, la comprensión que recibía del otro lado de la mesa y que le asfixiaba.

—¿Rosa Pinelli? ¿Ha muerto? —preguntó la madre—. ¿Cuándo?

Y mientras los hermanos la informaban, la comprensión materna, cálida y aplastante, se volcó sobre él y tuvo miedo de alzar los ojos. Corrió la silla atrás y se levantó.

—No tengo hambre.

Mantuvo los ojos alejados de su madre al dirigirse a la cocina y acceder al patio trasero. Quería estar solo para dar rienda suelta a sus emociones, para liberar la opresión del pecho, porque ella me detestaba y yo le daba miedo, pero su madre no le dejaba en paz, ya salía del comedor, oía sus pasos, así que se enderezó y salió corriendo del patio trasero y se internó en el callejón.

—¡Arturo!

Fue andando por el pastizal hasta donde yacían enterrados sus perros, hasta donde no hubiera luz y no pudieran verle, y se echó a llorar con amargura, se sentó con la espalda apoyada en el sauce negro, porque me detestaba, porque fui un ladrón, pero, ¡Rosa, mecachis en la mar!, se lo robé a mi madre, así que no fue un robo de verdad, sino un regalo navideño, y además me perdonaron, fui a confesarme y quedé totalmente limpio de pecado.

Oyó a su madre que le llamaba desde el callejón, que le dijese dónde estaba. «Ya voy», dijo él, y se aseguró de que tenía los ojos secos y se lamió los labios para quitarse el sabor de las lágrimas. Saltó la cerca de alambre espinoso que limitaba el pastizal y la madre avanzó hacia él por el centro del callejón, con un chal sobre los hombros y con miradas furtivas hacia la casa. Le dijo inmediatamente que abriese la mano que el hijo tenía cerrada con fuerza.

—Chisssst. No digas nada a August ni a Federico.

Arturo abrió la mano y vio en ella una moneda de cincuenta centavos.

—Vete al cine —le murmuró la madre—. Cómprate un helado con lo que sobre. Pero, ojo. Ni una palabra a tus hermanos.

Arturo se dio la vuelta con indiferencia, recorrió el callejón, sin hacer caso de la moneda que tenía entre los dedos. Al cabo de unos metros volvió a llamarlo la madre y el hijo se dio la vuelta.

—Tampoco digas nada a tu padre. Y procura volver antes que él.

Fue al *drugstore*, que había enfrente de la estación de servicio y se tomó un batido sin ganas. Entró un pelotón de estudiantes que monopolizó todos los taburetes que había ante el mostrador de los helados y refrescos. Una chica alta, de unos veintitantos años, tomó asiento junto a él. Se aflojó la bufanda y se echó atrás el cuello de la cazadora de cuero. La observó por el espejo que había tras el mostrador de los refrescos y helados, las mejillas sonrosadas, estimuladas a causa del aire frío de la noche, los ojos grises y grandes y llenos de vida. La joven descubrió que él la miraba por el espejo, se volvió y le dedicó una sonrisa que puso al descubierto unos dientes perfectos y de blancura cegadora.

—Qué hay —le dijo la muchacha, su sonrisa de las que se reservan para los chicos muy jóvenes. Él respondió: «Hola», pero ella no le dijo nada más y se dedicó por completo al estudiante que tenía al otro costado, un sujeto ceñudo que ostentaba en el pecho una «C» bordada en oro y plata. La chica poseía un entusiasmo y una vitalidad que le hicieron olvidar la tristeza. Por sobre el olor etéreo de los medicamentos y productos de droguería percibió la fragancia del perfume de lilas. Le observó las manos largas y afiladas, la frescura gordezuela de los labios firmes que aspiraban la cocacola, el róseo cuello que palpitaba al pasar el líquido. Pagó el batido y se alejó del mostrador de los helados y refrescos. La chica se volvió al ver que se marchaba, la sonrisa estremecedora su modo de decirle adiós. No hubo nada más, pero cuando se encontró fuera del establecimiento estaba convencido de que Rosa Pinelli no había muerto, de que había sido una noticia falsa, de que estaba viva y coleando, y riendo como la universitaria del local, como todas las chicas del mundo.

Cinco minutos más tarde, bajo la farola callejera que había ante la casa a oscuras de Rosa, observó con horror y desdicha el objeto blanco y fantasmal que despuntaba en la noche, las largas cintas de seda agitándose cuando una ráfaga de viento las acariciaba: la señal de los muertos, una corona fúnebre. La boca se le llenó de pronto de saliva arenosa. Se dio la vuelta y anduvo por la calle. ¡Los árboles, los árboles suspirantes! Aceleró el paso. ¡El viento, el viento frío y solitario! Echó a correr. ¡Los muertos, los muertos aterradores! Corrían tras él, caían sobre él procedentes del cielo nocturno, llamándole, quejándose, lanzados en confuso pelotón a la carrera, ávidos de cogerle. Corrió como un rayo, chillando las calles con el eco de sus pies vertiginosos, en el centro de la espalda una viscosidad fría y obsesiva. Tomó el atajo del puente. Tropezó en una traviesa de la vía y cayó con las manos abiertas por delante en el terraplén helado. Volvió a echar a correr antes incluso de recuperar la posición erguida, y tropezó y cayó y volvió a levantarse y a salir de estampía. Cuando llegó a su calle aminoró la velocidad y corrió al trote, y cuando estuvo a unos metros de casa la redujo a un paso normal mientras se sacudía la suciedad de la ropa.

Su casa.

Hela allí, con luz en la salita. Su casa, un lugar donde nada sucedía nunca, donde hacía calor y donde no moraba la muerte.

—Arturo...

Su madre estaba en la puerta. Pasó junto a ella, entró en la salita cálida y la olió, la sintió, se deleitó en ella. August y Federico se habían acostado ya. Se desnudó aprisa, con furia, en la semioscuridad. Luego se apagó la luz de la salita y la casa quedó a oscuras.

—Arturo.

Fue junto a la cama de su madre.

—Sí.

La madre apartó las frazadas y le tiró del brazo.

—Acuéstate, Arturo. A mi lado.

Hasta los dedos se le antojaron disueltos en lágrimas cuando se acostó junto a su madre y se sumergió en el calor dulce de sus brazos.

El rosario por Rosa.

Allí estuvo el domingo por la tarde, arrodillado con sus compañeros de clase ante el altar de la Santísima Virgen.

Muy delante, con la cabeza morena alzada hacia la virgen cerúlea, estaban los familiares de Rosa. Eran muy altos e infinitos los que se estremecían y convulsionaban mientras la voz seca del cura flotaba por la iglesia fría como un pájaro cansado y condenado a batir las alas otra vez en un viaje interminable. Pues no ocurría otra cosa a las personas que morían: algún día moriría él también y en algún lugar de la tierra se repetiría aquel acontecimiento. Él no estaría allí, aunque no era necesario estar allí, pues todo no sería ya más que un recuerdo. Estaría muerto y sin embargo los vivos no le serían desconocidos, pues aquello volvería a suceder, recuerdo de la vida antes de haberlo vivido.

Rosa, Rosa mía, no puedo creer que me odies porque no hay odio donde estás ahora, aquí, entre nosotros, y al mismo tiempo muy lejos. Sólo soy un muchacho, Rosa, y el misterio de donde te encuentras no es tal misterio cuando pienso en la hermosura de tu rostro y el reír de tus chanclos cuando recorrían el pasillo. Porque eras un cielo, Rosa, fuiste una chica estupenda, y yo te quería, y un tipo no puede ser muy malo cuando ama a una chica tan bondadosa como tú. Y si me odias ahora, aunque no puedo creer que ahora me odies, contempla mi dolor y convéncete de que quiero que estés aquí, de que también albergo buenos sentimientos. Sé que no puedes volver, Rosa, mi único amor, pero esta tarde se deja sentir tu presencia en esta iglesia fría, se deja sentir el sosiego de tu perdón, la tristeza de no poder tocarte, porque te amo y te amaré eternamente, y cuando un día vuelvan a reunirse aquí por mi causa, lo sabré antes incluso de que se reúnan, y no nos causará ninguna extrañeza...

Después de la misa estuvieron reunidos un rato en el atrio. La hermana Celia, que sollozaba con un pañuelo diminuto pegado a la nariz, pedía calma y tranquilidad. El ojo de cristal, según advirtieron, se le había movido mucho y apenas se le veía la pupila.

—El entierro será mañana a las nueve —dijo—. Los alumnos de octavo curso tendrán fiesta todo el día.

—¡Jolín, qué suerte!

La monja lo fulminó con el ojo de cristal. Era González, el tonto de la clase. Retrocedió éste hasta la pared, hundió el cuello entre los hombros y sonrió con turbación.

—¡Tú tenías que ser! —dijo la monja—, ¡tú!

El chico sonreía con impotencia.

—Los chicos de octavo que por favor vayan al aula inmediatamente después de que salgamos de la iglesia. Las chicas quedan dispensadas.

Cruzaron en silencio el patio exterior, Rodríguez, Morgan, Kilroy, Heilman, Bandini, O'Brien, O'Leary, Harrington y los demás. Nadie habló mientras subían las escaleras y se dirigían al respectivo pupitre del primer piso. Contemplaron en silencio el pupitre de Rosa, cubierto de polvo, los libros aún en el estante. Entró entonces la hermana Celia.

—Los padres de Rosa han solicitado que seáis sus compañeros de clase quienes llevéis mañana el ataúd. Los que queráis hacerlo, por favor, levantad la mano.

Siete manos buscaron el cielo. La monja tuvo a los siete en cuenta y los llamó por su nombre para que se adelantaran. Harrington, Kilroy, O'Brien, O'Leary, Bandini. Arturo se colocó entre los escogidos, entre Harrington y Kilroy. La monja reconsideró la presencia de Arturo Bandini.

—No, Arturo —dijo—. Creo que no eres lo bastante fuerte.

—¡Sí lo soy! —replicó Arturo, mirando a Kilroy, a O'Brien, a Heilman. ¡Bastante fuerte! Los demás le sacaban una cabeza, pero les había zurrado a todos, en una ocasión u otra. Hasta en parejas les podía sacudir, en cualquier momento, de día o de noche.

—No, Arturo. Siéntate, por favor. Morgan, ven aquí, por favor.

Tomó asiento con una sonrisa que se burlaba de la ironía del episodio. ¡Ah, Rosa! La habría llevado en brazos a lo largo de miles de kilómetros, con sus dos brazos solamente, hasta un centenar de tumbas, ida y vuelta; pero a los ojos de la hermana Celia no era lo bastante fuerte. ¡Monjas! Tan bondadosas, tan amables... y tan cretinas. Todas eran igual que la hermana Celia: veían por un solo ojo y el otro no les servía para nada. Sabía que en aquellos momentos no tenía que odiar a nadie, pero no podía remediarlo: detestaba a sor Celia.

Lleno de asco y cinismo bajó las escaleras de la entrada y accedió a la tarde invernal cuyo frío iba en aumento. Emprendió el camino de casa con la cabeza gacha y las manos en los bolsillos. Al llegar a la esquina alzó los ojos y vio a Gertie Williams en la acera de enfrente, las paletillas diminutas de la muchacha agitándose bajo el abrigo rojo de lana. Avanzaba despacio, con las manos metidas en los bolsillos del abrigo que le perfilaba las caderas lisas. Arturo apretó los dientes con fuerza al acordarse de la nota de Gertie. Rosa te odia y le das miedo. Gertie le oyó al poner el pie en el bordillo de la acera. Le vio y aceleró el paso. Arturo no tenía ganas de hablar con ella ni de seguirla, pero en cuanto la vio apretar el paso se apoderó de él el deseo de ir tras ella y también él aceleró la marcha. De repente, en algún punto situado entre los omoplatos de Gertie vio la verdad. Rosa no había dicho aquello. Rosa no lo habría dicho. De nadie. Era mentira. Gertie había escrito que había visto a Rosa el día anterior. Pero era imposible porque aquel día Rosa estaba muy enferma y había muerto en el hospital durante la tarde del día siguiente.

Echó a correr y Gertie hizo lo mismo, pero no pudo hacer nada frente a la velocidad del muchacho. Cuando éste la alcanzó y se puso ante ella con los brazos abiertos para evitar que se le escabullera por un costado, la chica se detuvo en el centro de la acera con los brazos en jarras y desafío en sus ojos claros.

—No te atrevas a tocarme, Arturo Bandini, de lo contrario gritaré.

—Gertie —dijo él—, si no me dices la verdad sobre aquella nota, te arranco la quijada de un guantazo.

—¡Sí, sí! —le replicó la joven con altanería—. ¡De eso sí sabes tú mucho, de eso!

—Gertie —dijo Arturo—. Rosa no dijo nunca que me odiase y tú sabes que es verdad.

Gertie le dio un manotazo en el brazo para que la dejara pasar, los bucles rubios se le agitaron en el aire, y dijo:

—Bueno, pero si no lo dijo, estoy segura de que lo pensaba.

Arturo se quedó inmóvil y la vio alejarse dignamente por la acera, sacudiendo la testa como un pony de las Islas Shetland. Entonces se echó a reír.

10

EL ENTIERRO del lunes por la mañana era un epílogo. No tenía ganas de ir; ya tenía suficientes sinsabores. Cuando August y Federico se fueron a la escuela, se sentó en los peldaños del soportal delantero y se dejó acariciar por el sol cálido de enero. Un poco más y sería primavera: dos o tres semanas más y los equipos más importantes se dirigirían al sur para los entrenamientos de primavera. Se quitó la camisa y se puso boca abajo en el césped seco y oscuro. Nada como un buen bronceado, nada como broncearse antes que los demás chicos del pueblo.

Bonito día, un día como una chica. Rodó de costado para ponerse boca arriba y contempló las nubes que avanzaban hacia el sur. Allá en lo alto soplaba el ventarrón; había oído que procedía directamente de Alaska, de Rusia, pero las altas montañas protegían el pueblo. Pensó en los libros de Rosa, en que estaban forrados con hule azul, un azul igual que el color que tenía el cielo aquella mañana. Día tranquilo, dos perros que iban de aquí para allá y que se detenían brevemente en todos los árboles. Pegó el oído a la tierra. En la zona septentrional del pueblo, en el Cementerio Alto, metían a Rosa en la tumba. Le echó el aliento a la tierra, la besó, la probó con la punta de la lengua. Algún día encargaría a su padre que tallara una lápida para la tumba de Rosa.

El cartero salió del soportal de los Gleason, que vivían enfrente, y se dirigió hacia la casa de los Bandini. Arturo se puso en pie y cogió la carta que le entregó el hombre. Era de la abuela Toscana. La llevó dentro y observó a su madre cuando la abrió. Contenía una esquela y un billete de cinco dólares. La madre se guardó el billete en el bolsillo y quemó la esquela. Arturo volvió al césped y se tumbó otra vez.

Un instante más tarde salió María de la casa con el monedero de ir al centro. Arturo no alzó la mejilla del césped reseco ni dijo nada cuando la madre le comentó que volvería al cabo de una hora. Uno de los perros se le acercó por el césped y le olisqueó el pelo. Era negro y canela, con patas grandes y blancas. Sonrió cuando la lengua enorme y caliente le lamió las orejas. Dobló el brazo y el perro apoyó la cabeza en el codo de Arturo. El animal se quedó dormido en un periquete. Arturo acercó el oído al pecho peludo del animal y le contó los latidos del corazón. El perro abrió un ojo, se puso en pie de un salto y le lamió la cara con cariño desbordante. Aparecieron otros dos perros, muy aprisa, muy ocupados a lo largo de la fila de árboles que flanqueaba la calle. El canela y negro enderezó las orejas, se presentó con un ladrido prudencial y corrió tras ellos. Los otros se detuvieron, le gruñeron, le ordenaron que les dejara en paz. El canela y negro volvió con tristeza al lado de Arturo. Éste se compadeció del animal.

—Quédate conmigo —le dijo—. Serás mi perro. Y te llamarás Yumbo. Mi buen Yumbo.

Yumbo retozó con alegría y se le abalanzó a la cara otra vez.

Bañaba a Yumbo en el fregadero de la cocina cuando volvió María del centro. Dio un chillido, dejó caer los bultos y entró corriendo en el dormitorio, cerrando la puerta a sus espaldas.

—¡Échalo de aquí! —exclamó gritando—. Llévatelo de aquí.

Yumbo se soltó de una sacudida y salió aterrado de la casa, salpicándolo todo de agua y jabón. Arturo fue tras él, rogándole que volviese. Yumbo se revolcaba en tierra sin dejar de correr en amplio círculo, poniéndose boca arriba y sacudiéndose la humedad del pelo. Al final desapareció en la carbonera. De la puerta brotó una nube de polvillo negro. Arturo se quedó en el soportal trasero y emitió un gruñido. Los gritos que lanzaba la madre en el dormitorio seguían oyéndose en todas partes. Corrió hasta la puerta y la tranquilizó, pero ella se negó a salir mientras no cerrase las dos puertas, la delantera y la trasera.

—Pero si es Yumbo —dijo Arturo en son apaciguador—. No es más que un perro, Yumbo.

Volvió María a la cocina y echó un vistazo furtivo por la ventana. Yumbo, negro a causa del polvo de carbón, seguía corriendo en círculo como un loco, se arrojaba panza arriba, se alejaba corriendo y vuelta a empezar.

—Parece un lobo —dijo María.

—Es medio lobo, pero muy cariñoso.

—No lo quiero aquí —dijo María.

Aquél, sabía Arturo, era el comienzo de una polémica que duraría por lo menos dos semanas. Siempre sucedía lo mismo con todos sus perros. Y al final, Yumbo, como todos sus antecesores, la seguiría fielmente por toda la casa, sin hacer caso del resto de la familia.

Arturo se puso a mirar a su madre cuando ésta empezó a desenvolver la compra.

Espaguetis, salsa de tomate, queso italiano. Pero si entre semana no comían nunca espaguetis... Si cenaban espaguetis en exclusiva los domingos por la noche.

—¿Ocurre algo?

—Es una pequeña sorpresa para tu padre.

—¿Vuelve a casa?

—Hoy volverá.

—¿Cómo lo sabes? ¿Le has visto?

—No hagas preguntas. Sé que vendrá hoy y eso tiene que bastarte.

Arturo cortó un trozo de queso para Yumbo, salió y llamó al perro. Descubrió que Yumbo sabía erguirse sobre las patas traseras. Estaba muy contento: no era aquél un perro vulgar, sino un perro inteligente. Indudablemente se debía a su herencia lobuna. Acompañado de Yumbo, que no dejaba de corretear con la nariz pegada al suelo, olisqueándola, señalizando todos y cada uno de los árboles de ambas aceras, unas veces adelantándose una manzana, otras rezagándose media, alcanzándole las restantes y ladrándole, anduvo hacia poniente, hacia el pie de las colinas, los picachos blancos descollando en el horizonte.

En los límites del municipio, donde el camino de la casa de la señora Hildegarde describía una curva cerrada hacia el sur, Yumbo aulló como un lobo, inspeccionó los pinos y matorrales que le rodeaban y desapareció en el barranco, su aullido amenazador una advertencia para cuantos animales salvajes le salieran al paso. ¡Un sabueso! Arturo le vio husmear entre los matorrales con el vientre pegado al suelo. ¡Qué animal! Mitad lobo y mitad sabueso.

A cien metros de la cima del cerro oyó un ruido que recordaba con cariño desde su más tierna infancia: el chasquido del mazo de su padre cuando golpeaba el cincel y partía la piedra en dos. Se sintió contento: aquello significaba que su padre vestiría ropa de faena y le gustaba la imagen de su padre en ropa de faena, era más fácil de abordar cuando llevaba la ropa de faena.

Hubo un revuelo en los matorrales de la izquierda y Yumbo volvió corriendo al camino. Llevaba entre las fauces un conejo muerto, muerto hacía semanas, que dejaba tras de sí el rastro nauseabundo de la descomposición. Yumbo trotó por el camino una docena de metros, soltó la presa y se sentó a observarla, con la barbilla pegada al suelo, el trasero en pompa, los ojos oscilando entre el conejo y Arturo. De la garganta le brotó un gruñido salvaje cuando se acercó Arturo... El hedor era repugnante. Tomó carrera y quiso apartar el conejo del camino de un puntapié, pero Yumbo se lo arrebató antes de que el pie encontrara su objetivo y el perro salió disparado, corriendo con porte triunfal. A pesar del hedor, Arturo lo contempló admirado.

¡Chico, qué perro! Un poco de lobo, otro poco de sabueso y el resto de perdiguero.

Pero se olvidó de Yumbo, se olvidó de todo, olvidó incluso lo que tenía pensado decir cuando la parte superior de su cabeza remontó la colina y vio a su padre mirándole con el mazo en una mano y el cincel en la otra. Se detuvo en lo alto de la colina y esperó inmóvil. Bandini le miró fijamente a la cara durante un minuto largo. Alzó luego el mazo, equilibró el cincel y volvió a golpear la piedra. Arturo supo que no era bien recibido. Recorrió el sendero de grava hasta llegar al banco macizo en que trabajaba Bandini. Tuvo que esperar un buen rato, parpadeando para eludir las esquirlas que saltaban de la piedra, hasta que su padre abrió la boca.

—¿Por qué no estás en el colegio?

—No hay colegio. Ha habido un entierro.

—¿Quién se ha muerto?

—Rosa Pinelli.

—¿La hija de Mike Pinelli?

—Sí.

—No es un buen hombre el Mike Pinelli ese. Se dedica a boicotear las huelgas de los mineros. Es un inútil cabal.

Siguió trabajando. Labraba la piedra, la moldeaba para que encajara en el asiento del banco de piedra que había junto al lugar donde trabajaba. Tenía grabadas aún en la cara las señales de Nochebuena, tres cicatrices largas que le recorrían la mejilla como rayas trazadas por un lápiz marrón.

—¿Cómo está Federico? —preguntó.

—Bien.

—¿Y August?

—Bien también.

Silencio, excepción hecha del golpeteo del martillo.

—¿Cómo le va a Federico en la escuela?

—Creo que bien.

—¿Y a August?

—Muy bien.

—¿Y tú? ¿Sacas buenas notas?

—No están mal.

Silencio.

—¿Se porta bien Federico?

—Claro.

—¿Y August?

—Muy bien.

—¿Y tú?

—Creo que sí.

Silencio. Hacia el norte alcanzó a ver las nubes que se concentraban, la niebla que reptaba hacia la cima de los picos elevados. Miró alrededor por si veía a Yumbo, pero no encontró el menor rastro de él.

—¿Va bien todo en casa?

—Todo va fabuloso.

—¿No está malo nadie?

—No. Todos estamos bien.

—¿Duerme bien Federico por la noche?

—Y tanto. Todas las noches.

—¿Y August?

—Lo mismo.

—¿Y tú?

—De miedo.

Al final lo dijo. Tuvo que darle la espalda para ello, darle la espalda, coger una piedra maciza que le exigía toda la fuerza del cuello, la espalda y los brazos, y así le salió como una pregunta rápida y entrecortada.

—¿Cómo está mamá?

—Quiere que vuelvas a casa —dijo Arturo—. Ha preparado espaguetis. Quiere que estés en casa. Me lo ha dicho.

Cogió otra piedra, mayor que la anterior, un esfuerzo sobrehumano, la cara se le amoratò. No tardó en estar encima de ella, respirando con dificultad. Se llevó la mano al ojo, el índice apartó una mota junto a la nariz.

—Tengo algo en el ojo —dijo—. Arenilla.

—Ya lo sé. A mí también me ha ocurrido.

—¿Cómo está mamá?

—Bien. Muy bien.

—¿Ya no se porta como una loca?

—Qué va. Quiere que vuelvas a casa. Me lo ha dicho. Hay espaguetis para cenar. No es portarse como una loca.

—No quiero más líos —dijo Bandini.

—No sabe ni siquiera que estás aquí. Cree que vives con Rocco Saccone.

Bandini le buscó la cara con los ojos.

—Es que vivo con Rocco —dijo—. He estado en su habitación todo el tiempo, desde que me echó.

Una mentira fría y calculada.

—Lo sé —dijo Arturo—. Se lo dije.

—Se lo dijiste —Bandini bajó el mazo—. ¿Y cómo lo sabías tú?

—Rocco me lo dijo.

Con suspicacia:

—Entiendo.

—¿Cuándo vas a volver, papá?

Silbó distraído, una canción sin melodía, sólo por silbar lo que fuera.

—Puede que no vuelva nunca —dijo—. ¿Qué piensas tú?

—Mamá quiere que vuelvas. Te espera. Te echa de menos.

Se tiró del cinturón.

—¡Que me echa de menos! ¿Y qué?

Arturo se encogió de hombros.

—Yo sólo sé que quiere que vuelvas a casa.

—Puede que vuelva... y puede que no.

La cara se le contrajo de súbito, las aletas de la nariz se le agitaron. Arturo también lo olía. Yumbo estaba acuclillado a sus espaldas, el animal muerto entre las patas delanteras, la lengua enorme goteando saliva mientras miraba hacia Bandini y Arturo y les daba a entender que quería jugar otra vez a tocar y correr.

—¡Lárgate, Yumbo! —dijo Arturo—. ¡Llévate eso de aquí!

Yumbo enseñó los colmillos, le brotó un rugido de la garganta y apoyó la barbilla en el conejo. Fue un gesto de desafío. Bandini se tapó la nariz.

—¿De quién es el perro? —dijo con voz nasal.

—Mío. Se llama Yumbo.

—Llévatelo de aquí.

Pero Yumbo no quería moverse. Enseñó los largos colmillos cuando se le acercó Arturo y se alzó sobre las patas traseras como dispuesto para saltar, el salvaje gruñido gutural resonándole en la garganta con eco asesino. Arturo contempló fascinado y admirado al animal.

—Ya lo ves —dijo—. No puedo acercarme a él. Me haría pedazos.

Yumbo lo comprendió, según parece. El rugido aumentó de volumen y se prolongó con constancia aterradora. Golpeó el conejo con la pata, lo cogió y se alejó tranquilamente, meneando la cola... Cuando llegó al borde de los pinos, se abrió la puerta trasera y apareció la viuda Hildegarde olisqueando el aire con alarma.

—¡En el nombre del cielo, Svevo! ¿Qué es ese olor repugnante?

Yumbo la miró por encima del hombro. Volvió los ojos a la pinada y la miró otra vez. Soltó el conejo, lo sujetó con presa más firme y anduvo contoneándose por el césped, en dirección a la viuda Hildegarde. Ésta no estaba de humor para travesuras. Cogió una escoba y salió al encuentro del animal. Yumbo encogió los labios, los contrajo hasta que los dientes largos y blancos le relampaguearon al sol, hilillos de saliva chorreándole de las fauces. Lanzó un gruñido, salvaje, escalofriante, una señal que fue al mismo tiempo un silbido y un gruñido. La viuda detuvo la marcha, se calmó, observó la boca del perro y cabeceó con fastidio. Yumbo soltó la presa y sacó satisfecho la lengua larga. Los tenía a todos a raya. Cerró los ojos y fingió dormirse.

—¡Llévate a este bicho de aquí! —dijo Bandini.

—¿Es tuyo? —le preguntó la viuda.

Arturo asintió con orgullo contenido.

La viuda le miró con detenimiento, luego a Bandini.

—¿Quién es este jovencito? —preguntó.

—Es mi hijo mayor —dijo Bandini.

—Pues llévate esa basura de mis tierras —dijo la viuda.

¡Jo! ¡Pues vaya con la señora! ¡Vaya, vaya, vaya con la señora! Resolvió no hacer nada en relación con Yumbo, porque sabía que el perro se limitaba a jugar. Sin embargo, le gustó pensar que Yumbo era tan agresivo como aparentaba. Avanzó hacia el perro, muy despacio, a propósito. Bandini lo detuvo.

—Espera —dijo—. Yo lo arreglaré.

Cogió el martillo y avanzó con prudencia hacia Yumbo, que meneaba la cola y temblaba entre resuellos. Cuando levantó el trasero, alargó la barbilla y comenzó el gruñido de advertencia, Bandini estaba ya a tres metros de él. La expresión de su padre, la determinación de matar por fanfarronería y soberbia porque la viuda estaba delante hizo que se pusiera ante Bandini, sujetara con las dos manos el martillo y se lo arrebatara de un tirón. En aquel instante se puso Yumbo en movimiento, dejó la presa y avanzó derecho hacia Bandini, que retrocedió. Arturo se dejó caer de rodillas y contuvo a Yumbo. El perro le lamió la cara, gruñó a Bandini y volvió a lamerle la cara al muchacho. Cada movimiento del brazo de Bandini obtenía por respuesta un gruñido canino. Yumbo no jugaba ya. Estaba listo para el combate.

—Jovencito —dijo la viuda—. O te llevas ese perro de aquí o llamo a la policía y hago que le peguen un tiro aquí mismo.

Aquello le puso furioso.

—¡Ni te atrevas, me cago en ti!

Yumbo miró con agresividad a la viuda y le enseñó los dientes.

—¡Arturo! —le recriminó Bandini—. Ésa no es forma de hablar a la señora Hildegarde.

Yumbo se volvió hacia Bandini y de un bufido le hizo cerrar la boca.

—Monstruito despreciable —dijo la viuda—. Svevo Bandini, ¿permitirás que este jovenzuelo depravado se salga con la suya?

—¡Arturo! —le chilló Bandini.

—¡Campesinos! —dijo la viuda—. ¡Extranjeros! Sois todos iguales, vosotros y vuestros perros, todos sois iguales.

Svevo avanzó por el césped hacia la viuda Hildegarde. Entreabrió los labios. Llevaba las manos unidas ante sí.

—Señora Hildegarde —dijo—, es mi hijo. Hágame el favor de no hablarle de ese modo. El chico es norteamericano. No es ningún extranjero.

—¡Me refiero también a usted! —dijo la viuda.

—*Bruta animale!* —dijo el hombre—. *Puttana!*

Le salpicó la cara de saliva.

—¡Un animal es lo que es usted! —dijo—. *¡Animal!*

Se volvió a Arturo.

—Andando —dijo—. Nos vamos a casa.

La viuda se quedó quieta. Hasta Yumbo intuyó su cólera y se alejó, abandonando el repulsivo botín en el césped, delante de la mujer. En el sendero de grava, donde los pinos daban paso al camino que bajaba la colina, Bandini se detuvo para mirar atrás. Tenía la cara morada. Agitó el puño.

—*¡Animal!* —dijo.

Arturo aguardaba en el camino, a unos metros de distancia. Bajaron juntos por el difícil camino rojizo. No hablaban, Bandini jadeaba aún de cólera. Desde algún punto del barranco gruñó Yumbo, que avanzaba por la espesura entre crujidos. Las nubes se habían acumulado en las cimas y, aunque el sol brillaba aún se adivinaba la frescura del aire.

—¿Y tus herramientas? —dijo Arturo.

—No son mis herramientas. Son las de Rocco. Que termine él el trabajo. Al fin y al cabo es lo que quería.

Yumbo salió corriendo de la maleza. Llevaba un pájaro muerto en la boca, un pájaro archimuerto, muerto hacía muchos días.

—¡Perro de mierda! —exclamó Bandini.

—Es un buen perro, papá. Es un poco perdiguero.

Bandini miró una mancha azul hacia levante.

—Pronto será primavera —dijo.

—¡Sí, sí!

Aún no había terminado de hablar cuando le cayó algo blando y frío en el dorso de la mano. Vio derretirse el diminuto copo de nieve, semejante a una estrella...